DEZ DE DEZEMBRO

A marca FSC® é a garantia de que a madeira utilizada na fabricação do papel deste livro provém de florestas que foram gerenciadas de maneira ambientalmente correta, socialmente justa e economicamente viável, além de outras fontes de origem controlada.

GEORGE SAUNDERS

Dez de dezembro

Tradução
José Geraldo Couto

Copyright © 2013 by George Saunders

Grafia atualizada segundo o Acordo Ortográfico da Língua Portuguesa de 1990,
que entrou em vigor no Brasil em 2009.

Título original
Tenth of December

Capa
Elisa von Randow

Foto de capa
Latinstock © Corbis

Preparação
Ana Cecília Agua de Mello

Revisão
Carmen T. S. Costa
Luciane Helena Gomide

Os personagens e as situações desta obra são reais apenas no universo da ficção; não se
referem a pessoas e fatos concretos, e não emitem opinião sobre eles.

Dados Internacionais de Catalogação na Publicação (CIP)
(Câmara Brasileira do Livro, SP, Brasil)

Saunders, George
　　Dez de dezembro / George Saunders ; tradução José Geraldo
Couto. — 1ª ed. — São Paulo : Companhia das Letras, 2014.

　　Título original : Tenth of December.
　　ISBN 978-85-359-2442-8

　　1. Ficção norte-americana I. Título.

14-03310 　　　　　　　　　　　　　　　　　　CDD-813

Índice para catálogo sistemático:
1. Ficção : Literatura norte-americana 813

[2014]
Todos os direitos desta edição reservados à
EDITORA SCHWARCZ S.A.
Rua Bandeira Paulista, 702, cj. 32
04532-002 — São Paulo — SP
Telefone: (11) 3707-3500
Fax: (11) 3707-3501
www.companhiadasletras.com.br
www.blogdacompanhia.com.br

Para Pat Pacino

Sumário

No colo da vitória, 9
Estacas, 33
Filhote, 35
Fuga da Cabeça da Aranha, 47
Exortação, 81
Al Roosten, 88
Semplica girl — Os diários, 105
De volta para casa, 162
Meu fiasco cavalheiresco, 192
Dez de dezembro, 204

No colo da vitória

Três dias antes de seu aniversário de quinze anos, Alison Pope estacou por um momento no alto da escada. Digamos que a escada fosse de mármore. Digamos que ela tenha descido e que todas as cabeças tenham se virado. Onde estava {o alguém especial}? Chegando perto agora, com uma ligeira reverência, ele exclamou: Como pode tamanho encanto caber numa embalagem assim pequena? Ops. Ele disse *embalagem assim pequena*? E ainda ficou ali parado como um poste? Com a cara larga de príncipe totalmente desprovida de expressão? Coitadinho! Sinto muito, nem pensar, e lá se foi o sujeito, definitivamente não era ele {o alguém especial}.

E o que dizer daquele outro cara, atrás do sr. Embalagem Pequena, perto do home theater? Aquele com um pescoço grosso de rancheiro honesto, mas também lábios amplos e macios, que, pousando uma das mãos na sua região lombar, sussurrou: Lamento tremendamente que você tenha sido obrigada a suportar essa coisa de "embalagem pequena" agora há pouco. Vamos sair para caminhar sobre a lua. Ahn, quer dizer, *sob* a lua. À luz da lua.

faço decentemente! Mamãe, se ele me fizer desistir, juro por Deus que vou...

O drama não combina com você, Amado Filho Único.

Se você quer ter o privilégio de competir num esporte de equipe, Campeão, mostre-nos que é capaz de viver dentro de nosso sistema perfeitamente razoável de normas concebidas para beneficiá-lo.

Olá.

Uma van tinha acabado de parar no estacionamento da St. Mikhail.

Kyle caminhou de modo controlado e cortês até a bancada da cozinha. Sobre a bancada estava o seu Relatório de Tráfego, que servia ao duplo propósito de (1) apoiar a tese de Papai de que o Padre Dimitri deveria construir um muro de arrimo à prova de som e (2) constituir um conjunto de dados para um possível projeto de Feira de Ciências para ele, Kyle, intitulado, por Papai, de "Correlação do Volume do Estacionamento da Igreja vs. Dia da Semana, com Investigação Suplementar do Volume Dominical ao Longo do Ano".

Sorrindo com satisfação como se preencher o Relatório lhe desse prazer, Kyle preencheu o Relatório com letra bem legível:

Veículo: VAN.

Cor: CINZA.

Marca: CHEVY.

Ano: DESCONHECIDO.

Um sujeito desceu da van. Um dos *rooskies** habituais. *"Rooskie"* era uma gíria permitida. Como "droga". Como "ômeudeus". Como "cagão". O *rooskie* estava vestindo uma jaqueta jeans por

---

* *Rooskie*, também grafado *russki*, *russkie* e *russky*: termo de gíria, em geral pejorativo, referente a imigrantes russos. (N. T.)

cima de uma blusa com capuz, o que, na experiência de Kyle, não era uma roupa de igreja incomum para os *rooskies*, que às vezes vinham direto da oficina mecânica ainda vestidos de macacão.

Sob a rubrica "Motorista do Veículo" ele escreveu PROVAVELMENTE PAROQUIANO. Aquilo era um saco. Uma verdadeira pentelhação. Sendo o sujeito um forasteiro, ele, Kyle, agora tinha que ficar dentro de casa até que o forasteiro saísse das redondezas. O que ferrava com seu trabalho de transportar o geodo. Ficaria no jardim até meia-noite. Que atraso de vida! O sujeito vestiu um colete fluorescente. Ah, o cara era um leitor de relógio de luz.

O leitor de relógio de luz olhou para a esquerda, depois para a direita, saltou o riacho, entrou no quintal dos fundos dos Pope, passou entre uma trave de futebol e uma piscina, e então bateu na porta dos Pope.

Belo salto, Boris.

A porta se abriu.

Alison.

O coração de Kyle começou a cantar. Ele sempre tinha achado que isso era só uma expressão. Alison era como um tesouro nacional. No dicionário, sob o verbete "beleza" deveria haver um retrato dela naquela saia-short jeans. Se bem que ultimamente ela não parecia gostar muito dele.

Agora ela atravessou a varanda para que o leitor de relógio de luz pudesse lhe mostrar alguma coisa. Algum problema elétrico no telhado? O sujeito parecia ansioso para mostrar a ela. Na verdade, ele a segurava pelo pulso. Era como se a puxasse à força.

Aquilo era estranho. Não era? Nada de estranho tinha acontecido por ali antes. Então, provavelmente estava tudo certo. Provavelmente o sujeito era simplesmente um novo leitor de relógio de luz, não era? De todo modo Kyle teve vontade de sair para a varanda. Saiu. O sujeito ficou paralisado. Os olhos de Alison eram os olhos de um cavalo assustado. O sujeito pigarreou, se virou ligeiramente para deixar Kyle ver uma coisa.

Uma faca.

O leitor de relógio de luz tinha uma faca.

Olha só o que você vai fazer, disse o sujeito. Vai ficar parado bem aí até a gente sair. Se mexer um músculo, eu enfio a faca no coração dela. Juro por Deus. Entendeu?

A boca de Kyle estava tão seca que tudo o que ele conseguiu foi dar a ela a forma que normalmente assumia ao dizer Sim.

Agora eles estavam atravessando o jardim. Alison se jogou no chão. O sujeito a ergueu à força. Ela se jogou. Ele a ergueu à força. Era estranho ver Alison sacudida como uma boneca de pano no santuário do jardim perfeito que o pai tinha feito para ela. Ela se jogou.

O sujeito sibilou alguma coisa e ela se levantou, subitamente dócil.

Em seu peito, Kyle sentia as muitas normas, Principais e Secundárias, que estava violando agora. Estava descalço na varanda, estava sem camisa na varanda, estava fora de casa quando havia um estranho nas proximidades, tinha estabelecido contato com o estranho.

Na semana anterior Sean Ball tinha levado à escola uma peruca para imitar melhor o jeito que Bev Mirren tinha de mastigar os cabelos quando estava nervosa. Kyle tinha pensado por um momento em intervir. Na Reunião Noturna, Mamãe tinha dito que considerava sensata a decisão de Kyle de não intervir. Papai tinha dito: Aquilo não era da sua conta. Você poderia ter se machucado seriamente. Mamãe tinha dito: Pense em todos os recursos que investimos em você, Amado Filho Único. Papai tinha dito: Eu sei que às vezes parecemos rigorosos demais, mas você é literalmente tudo o que temos.

Estavam junto à trave de futebol agora, o braço de Alison torcido atrás das costas. Ela fazia um som baixo e repetitivo de negação, como se estivesse tentando inventar um ruído que comunicasse adequadamente seus sentimentos a respeito do que tinha acabado de perceber que lhe aconteceria.

Ele era só um garoto. Não havia nada que pudesse fazer. Em seu peito, sentia o prazeroso alívio de pressão que sempre ocorria quando se submetia a uma norma. A seus pés estava o geodo. Podia ficar simplesmente olhando para ele até que eles tivessem partido. Era enorme. Talvez o maior de todos. Os cristais de dentro cintilavam ao sol. Ficaria lindo no jardim. Assim que ele o colocasse lá. Ele o colocaria assim que eles fossem embora. Papai ficaria impressionado com o fato de que, mesmo depois do que tinha acontecido, ele tinha se lembrado de levar o geodo para o jardim.

É assim que se faz, Campeão.

Estamos todos satisfeitos, Amado Filho Único.

Ótimo trabalho, Campeão.

Puta merda. Estava acontecendo. Ela estava caminhando junto, toda meiga, feito a camarada que ele sabia que ela seria. Ele pensava nela desde o batismo do, como chamava mesmo? Do filho do Sergei. Na igreja russa. Naquele dia ela estava em pé no jardim, com o pai ou coisa que o valha tirando uma foto dela.

Ele tinha murmurado algo do tipo Oi, Gatinha.

Kenny tinha dito, tipo, Um tanto novinha, mano.

Ele tinha respondido, tipo, Novinha pra você, velho.

Quando a pessoa estudava história, a história das culturas,

via seu próprio tempo individual como tacanho. Havia várias teorias sobre consentimento. Nos tempos bíblicos, um rei podia estar cavalgando por um campo e dizer: Aquela. E ela seria trazida para ele. E eles se casariam e, se ela desse à luz um menino, beleza, tremulem as flâmulas, ela era ponta firme. Na primeira noite, será que ela estava curtindo? Provavelmente não. Estava tremendo como uma folha? Não importava. O que importava era a prole, a continuação da linhagem. Mais o júbilo do rei, que resultava em poder soberano justo.

Ali estava o córrego.

Ele a obrigou a atravessar.

Restavam os seguintes pontos básicos no plano de ação: levar para a porta lateral da van, empurrar para dentro, entrar junto, prender pulsos e tapar boca com fita adesiva, enganchar na corrente, fazer discurso. O discurso estava na ponta da língua. Tinha treinado na cabeça e depois no gravador: *Acalme-se, querida, eu sei que você está assustada porque ainda não me conhece e não esperava que isso acontecesse hoje, mas me dê uma chance e você verá que vamos voar alto. Veja que estou pondo a faca bem aqui, e espero não ter que usá-la, certo?*

Se ela não entrar na van, dar um forte soco na barriga. Então erguer, carregar até a porta lateral da van, jogar lá dentro, passar a fita adesiva nos pulsos e na boca, enganchar na corrente etc. etc.

Vamos parar um pouco, disse ele.

A mina parou.

Porra. A porta lateral da van estava trancada. Que puta falha de disciplina. Assegurar que a porta estivesse destrancada era algo claramente indicado no plano pré-missão. Melvin apareceu em sua mente. No rosto de Melvin estava a expressão de veemente decepção que sempre tinha precedido umas palmadas na

bunda, que por sua vez sempre tinham precedido a outra coisa.
Levante as mãos, dizia Melvin, defenda-se.
Verdade, verdade. Um pequeno erro ali. Devia ter checado duas vezes o plano pré-missão.
Não era o fim do mundo.
Alegria, nada de medo.
Já fazia quinze anos que Melvin tinha morrido. E a Mamãe, doze.
A putinha agora tinha se virado, estava olhando na direção da casa. Aquela teimosia não ia durar. Seria cortada na raiz. Ele precisava se lembrar de machucá-la logo, estabelecer um padrão básico.
Vira pra frente, porra.
Ela se virou.
Ele destrancou a porta e a deixou bem aberta. Hora da verdade. Se ela entrasse e o deixasse usar as fitas adesivas, estava tudo beleza. Tinha escolhido um lugar em Sackett, baita milharal, estradinha de terra para chegar lá. Se a coisa rolasse bem, no que se refere à trepada, eles pegariam a rodovia a partir dali. Basicamente roubaria a van. Era a van de Kenny. Tinha emprestado pelo dia todo. Foda-se Kenny. Kenny uma vez o chamou de burro. Que pena, Kenny, esse seu comentário lhe custou uma van. Se a trepada não rolasse, se ela não lhe desse tesão suficiente, ele abortaria a ação, assunto encerrado, se livraria do enrosco, limparia a van se necessário, iria comprar milho, devolveria a van para Kenny dizendo: Ei, mano, aqui está um puta monte de milho, obrigado pela van, eu nunca poderia ter comprado uma quantidade adequada de milho com o meu carro. E então ficar na moita, atento aos jornais, como tinha feito aquela vez com a ruiva que não dava tesão lá em...
A mina lhe lançou um olhar suplicante, tipo, Por favor, não.

Era um bom momento? De lhe dar um soco na pança, baixar sua crista? Era.
Ele deu.

O geodo era lindo. Que geodo lindo. O que o tornava lindo? Quais eram as principais características de um geodo lindo? Vamos, pense. Vamos, concentre-se. Com o tempo ela vai se recuperar, Amado Filho Único. Não é problema nosso, Campeão. Estamos maravilhados com o seu bom senso, Amado Filho Único. Notou vagamente que Alison tinha tomado um soco. Olhos no geodo, ele ouviu o pequeno *uff*. Seu coração se apertou quando ele pensou no que estava deixando acontecer. Tinham usado salgadinhos de peixinhos como moedas. Tinham feito pontes com pedras. Lá no riacho. Em outros tempos. Oh, Deus. Ele jamais devia ter saído para a varanda. Assim que eles tivessem partido, ele simplesmente voltaria para dentro, faria de conta que nunca tinha saído, construiria a cidade do trenzinho elétrico, estaria trabalhando nela ainda quando Mamãe e Papai chegassem em casa. E quando por fim alguém lhe contasse sobre o ocorrido? Faria uma certa cara. Já era capaz de sentir em seu rosto a cara que faria, tipo, O quê? Alison? Estuprada? Assassinada? Oh Deus. Estuprada e assassinada enquanto eu inocentemente construía minha cidadezinha, sentado no chão de pernas cruzadas e sem saber de nada como um pequeno...

Não. Não, não, não. Eles já iam embora. Então ele poderia entrar. Ligar 190. Se bem que assim todo mundo ia saber que ele não tinha feito nada. Toda a sua vida futura ia ser ruim. Ele ia ser para sempre o sujeito que não tinha feito nada. Além disso, telefonar não ia adiantar nada. Eles já estariam longe. A avenida era logo do outro lado de Featherstone, com um milhão de estradas e trevos ou coisa que o valha brotando dela. Então era isso. Ele ia para dentro. Assim que eles fossem embora. Vão, vão, vão, pensava ele, assim eu posso entrar, esquecer isto para sempre... E lá estava ele correndo. Pelo gramado. Oh Deus! O que estava fazendo, o que estava fazendo? Jesus, merda, as normas que ele estava violando! Correndo no jardim (ruim para a grama); transportando um geodo sem sua embalagem de proteção; saltando a cerca, o que estragava a cerca, que tinha custado um bom dinheiro; saindo do jardim; saindo descalço do jardim; entrando na Área Secundária sem permissão; entrando no riacho descalço (cacos de vidro, micro-organismos perigosos), e não só isso, oh Deus, de repente ele percebeu o que aquela parte inconsequente de si mesmo pretendia, que era violar uma norma tão Principal e absoluta que não era sequer uma norma, uma vez que não era preciso haver uma norma para saber quão totalmente proibido era...

Saltou para fora do riacho e, aproveitando que o sujeito ainda não tinha se virado, mandou o geodo voando de encontro à cabeça dele, que pareceu vazar um fiozinho de sangue antes mesmo que o crânio rachasse visivelmente e o sujeito caísse sentado.

Yes! Ponto! Foi divertido! Divertido dominar um adulto! Divertido usar a mais vertiginosa velocidade de pernas de gazela já vista na história da humanidade para disparar silenciosamente espaço afora e subjugar aquele grande mané, que de outro modo, agora mesmo, estaria...

E se ele não tivesse feito aquilo?

Deus, e se ele não tivesse?

Imaginou o sujeito dobrando Alison em duas como uma roupa num cabide de viagem, puxando-a pelos cabelos e empurrando-a com brutalidade, enquanto ele, Kyle, seguia sentado, medroso e obediente, com o minúsculo viaduto da estrada de ferro agarrado entre seus patéticos dedos de bebê...

Jesus! Ele saltou etapas e arremessou o geodo contra o para-brisa da van, que implodiu, produzindo uma chuva interna de partículas de vidro que fez o som de milhares de pequenos sinos de vento de bambu.

Trepou no capô da van, recuperou o geodo.

Mesmo? Mesmo? Você ia arruinar a vida dela, arruinar a minha vida, seu Animal chave-de-boceta, mastiga-pau, rego-de-cu? Quem manda em quem agora, hein? Cu-arrombado, lábios-de-porra, masca-bosta...

Nunca tinha se sentido tão forte/furioso/selvagem. Quem é o homem agora? Quem é o papai? Que mais ele deve fazer? Para ter certeza de que o Animal não vai fazer mais nenhum mal? Você ainda está se mexendo, aberração? Tem um plano, pinto-estrupício? Quer mais um talho em seu crânio já rachado, grandalhão? Tá duvidando? Acha que eu...

Calma, Campeão, você está descontrolado.

Diminui a rotação, Amado Filho Único.

Silêncio. Sou o patrão de mim mesmo.

PORRA!

Que diabo? O que ele estava fazendo no chão? Tinha tropeçado? Alguém o tinha drogado? Um galho tinha caído? Puta merda. Tocou a própria cabeça. Sua mão ficou cheia de sangue.

O garoto varapau estava se curvando. Para pegar alguma coisa. Uma pedra grande. Por que aquele garoto estava fora da varanda? Onde estava a faca?

Onde estava a mina?

Rastejando em direção ao riacho.

Correndo a mil por hora pelo jardim dela.

Entrando em casa.

Porra, tinha dado tudo errado. Melhor dar o fora, cair na estrada. Com o quê? Seus belos olhos? Tinha uns oito dólares no total.

Meu Deus! O menino arrebentou o para-brisa! Com a pedra! Kenny não vai gostar nada disso.

Tentou ficar em pé, mas não conseguiu. O sangue estava simplesmente jorrando. Não ia para a cadeia de novo. Nem fodendo. Cortaria os pulsos. Onde estava a faca? Esfaquearia o próprio peito. Isso era nobre. Então as pessoas saberiam seu nome. Qual delas tinha colhões para enfiar uma faca no peito, como um samurai?

Nenhuma.

Ninguém.

Vai em frente, cagão. Quero ver.

Não. O rei não tira sua própria vida. O homem superior aceita em silêncio a reprovação estúpida da plebe. Espera para se erguer e voltar à luta. Além do mais, ele não tinha a menor ideia de onde estava a faca. Bem, não precisava dela. Rastejaria até o mato, mataria alguma coisa com as próprias mãos. Ou faria uma armadilha com alguma planta. Ugh. Será que ele ia vomitar? Pronto, lá foi. No próprio colo.

Você é capaz de fazer merda até nas coisas mais simples, disse Melvin.

Melvin, meu Deus do céu, não está vendo que a minha cabeça está sangrando pra caramba?

Um pirralho fez isso com você. Você é uma piada. Ferrado por um pirralho.

Oh, sirenes, era o que faltava.

Bem, era um dia ruim para os tiras. Lutaria com eles corpo a corpo. Ficaria ali sentado até o último momento, vendo-os chegar perto, repetindo um silencioso mantra de morte que concentraria toda a sua força vital nos punhos.

Ficou sentado pensando em seus punhos. Eram dois enormes blocos de granito. Cada um deles era um pit bull. Tentou se levantar. De algum modo suas pernas não estavam funcionando. Esperava que os tiras chegassem logo. A cabeça doía de verdade. Quando punha a mão lá em cima, coisas se mexiam. Era como se estivesse usando um boné de sangue coagulado. Ia precisar de uns bons pontos. Torcia para que não doesse muito. Mas provavelmente doeria.

Onde estava o garoto varapau?

Oh, estava bem ali.

Crescendo acima dele, bloqueando o sol, a pedra levantada bem alto, gritando alguma coisa, mas ele não conseguia entender, por causa da campainha zumbindo em seus ouvidos.

Então ele viu que o garoto ia dar com a pedra nele. Fechou os olhos e esperou e não ficou nem um pouco tranquilo, em vez disso sentiu o início de um terrível pavor brotando dentro de si, e se aquele pavor continuasse a crescer no ritmo em que estava crescendo, percebeu numa súbita revelação, o lugar para onde ele iria tinha um nome, e esse nome era Inferno.

Alison estava de pé bem do lado da janela da cozinha. Tinha se mijado toda. O que não era um problema. As pessoas faziam isso. Quando superapavoradas. Ela percebeu quando estava dando o telefonema. Suas mãos tinham tremido tanto. Ainda estavam tremendo. Uma perna estava que nem a do Thumper. Deus do céu, as coisas que ele tinha dito para ela. Ele tinha dado um soco nela. Tinha dado um beliscão nela. Havia uma grande marca azul em seu braço. Como é que Kyle ainda podia estar lá fora? Mas lá estava ele, com aquele calção cômico, tão confiante que ficava bestando por ali, mãos entrelaçadas em triunfo acima da cabeça como um pugilista de algum universo alternativo bonitinho em que um garoto magrelo como aquele podia de fato vencer uma briga contra um sujeito com uma faca.

Espere um pouco.

As mãos dele não estavam entrelaçadas. Ele estava segurando a pedra, gritando alguma coisa para o cara, que estava de joelhos, como o prisioneiro de olhos vendados naquele vídeo que eles tinham visto na aula de História, prestes a ser passado na espada por um sujeito solene de capacete.

Não, Kyle, não, ela sussurrou.

Meses a fio depois daquilo ela teve pesadelos nos quais Kyle dava com a pedra com toda a força. Ela estava na varanda tentando gritar o nome dele, mas não saía nada. E a pedra vinha abaixo. E o cara já não tinha cabeça. O golpe literalmente dissolvia a cabeça dele. Então o corpo tombava e Kyle se virava para ela com aquela expressão desolada de Minha vida acabou. Matei um cara.

Ela às vezes se perguntava por que é que nos sonhos a gente não consegue fazer as coisas mais simples. Tipo: um filhotinho de cachorro chora porque está pisando em cacos de vidro e você quer erguê-lo e tirar os cacos das patinhas dele, mas não consegue porque está equilibrando uma bola na cabeça. Ou então você está dirigindo e aparece um velho de muletas, e você chega para o sr. Feder, seu instrutor na autoescola, e pergunta, Devo desviar? E ele, tipo, Ahn, provavelmente. Mas então você ouve aquele grande estrondo e Feder faz uma marca negativa no caderno.

Às vezes ela acordava chorando do sonho com Kyle. Na última vez, Mamãe e Papai já estavam lá, dizendo, Não foi assim que aconteceu. Lembra, Allie? Como foi que aconteceu? Diga.

Diga em voz alta. Allie, diga para a Mamãe e o Papai como foi que aconteceu de verdade.

Eu corri para fora, disse ela. Gritei.

Muito bem, disse Papai. Você gritou. Gritou como uma campeã.

E o que o Kyle fez?, perguntou Mamãe.

Deu com a pedra nele, disse ela.

Uma coisa ruim aconteceu com vocês, garotos, disse Papai.

Mas podia ter sido pior.

Muito pior, disse Mamãe.

Mas graças a vocês, garotos, disse Papai, não foi.

Você agiu muito bem, disse Mamãe.

Agiu maravilhosamente, disse Papai.

Estacas

Todos os anos, na noite de Ação de Graças íamos atrás de Papai quando ele arrastava a roupa de Papai Noel para fora e a vestia numa espécie de crucifixo que tinha feito com canos de metal no quintal. Na semana do Super Bowl o poste era vestido com um uniforme de futebol americano e o capacete de Rod, e Rod tinha que se entender com Papai se quisesse tirar o capacete dali. No Dia da Independência o poste era o Tio Sam; no Dia dos Veteranos, um soldado; no Halloween, um fantasma. O poste era a única concessão de Papai à diversão. Só podíamos tirar um giz de cera da caixa de cada vez. Numa noite de Natal ele gritou com Kimmie porque ela desperdiçou uma fatia de maçã. Ele nos vigiava enquanto despejávamos ketchup na comida, dizendo, Já chega já chega já chega. As festas de aniversário consistiam de cupcakes, sem sorvete. A primeira vez que levei uma namorada em casa ela disse, Qual é a do seu pai com aquele poste de metal?, e eu fiquei em silêncio, piscando.

Saímos de casa, casamos, tivemos nossos próprios filhos, descobrimos as sementes da mesquinhez também dentro de nós.

Papai começou a vestir os canos com mais complexidade e uma lógica menos discernível. Cobria-os com algum tipo de pele animal no Dia da Marmota e levava para fora um holofote para produzir uma sombra. Quando um terremoto atingiu o Chile ele deitou o poste de lado e pintou com spray uma fenda na terra. Mamãe morreu e ele vestiu o poste como a Morte, pendurando na barra transversal fotos de Mamãe quando bebê. A gente passava por ali e encontrava em redor da base estranhos amuletos da juventude dele: medalhas militares, ingressos de teatro, velhos abrigos de moletom, bisnagas de maquiagem de Mamãe. Num outono ele pintou o poste de amarelo-escuro. Cobriu-o com cotonetes, para agasalhar, e propiciou-lhe uma prole fincando pelo quintal seis cruzes feitas de estacas. Estendeu um barbante entre o poste e as estacas, colando com fita adesiva nesse varal cartas com pedidos de perdão, admissões de erro, apelos por compreensão, tudo escrito com letra convulsa em fichas de arquivo. Pintou um cartaz que dizia AMOR e pendurou-o no poste, e outro que dizia PERDÃO? e depois morreu no corredor com o rádio ligado e vendemos a casa para um jovem casal que arrancou o poste e deixou-o na beira da calçada no dia do lixo pesado.

Filhote

Marie já havia chamado a atenção duas vezes para o esplendor do sol outonal sobre o milharal perfeito, porque o esplendor do sol outonal sobre o milharal perfeito a fazia pensar numa casa mal-assombrada — não numa casa mal-assombrada que ela tivesse visto de verdade alguma vez, mas na casa mítica que às vezes aparecia em sua mente (com o cemitério adjacente e o gato sobre uma cerca) toda vez que ela via o esplendor do sol outonal sobre o milharal etc. etc. — e ela queria ter certeza de que, se as crianças tivessem uma mítica casa mal-assombrada que aparecia em suas mentes sempre que elas viam o esplendor do etc. etc., ela seria evocada agora, de modo que eles todos poderiam viver a experiência juntos, como amigos, como amigos de faculdade numa viagem de carro, só que sem maconha, hahaha!

Mas não. Quando ela, pela terceira vez, disse, "Uau, pessoal, vejam só isso", Abbie disse, "Ok, Mãe, já entendemos, é milho", e Josh disse, "Agora não, Mãe, estou fermentando meus pães", o que para ela tudo bem; não via problema algum nisso, pois Padeiro Nobre era preferível a Recheador de Sutiã, o jogo que ele tinha pedido.

Ora, quem poderia dizer? Talvez eles não tivessem nenhuma vinheta mítica na cabeça. Ou talvez as vinhetas míticas que tinham na cabeça fossem totalmente diferentes das que ela própria tinha na dela. E essa era a beleza da coisa, pois, afinal, eles eram crias de si próprios! Ela era meramente uma zeladora. Eles não precisavam sentir o que *ela* sentia; tinham apenas que receber apoio naquilo que sentissem, fosse o que fosse. Ainda assim, uau, aquele milharal era um clássico e tanto. "Sabe, toda vez que vejo um campo como este, pessoal", disse ela, "por algum motivo penso numa casa mal-assombrada!" "Faca de Fatiar! Faca de Fatiar!", gritou Josh. "Verdadeira máquina de caça! Escolho essa!"

Por falar em Halloween, ela se lembrou do ano passado, quando a coluna de milho deles fez o carrinho de compras tombar. Nossa, como eles riram daquilo! Ah, risada em família era a melhor coisa do mundo; ela não teve nada disso na infância, já que Papai era tão casmurro e Mamãe tão envergonhada. Se o carrinho de Mamãe e Papai tivesse tombado, Papai teria dado um pontapé enfezado no carrinho e Mamãe teria saído resolutamente de perto para retocar o batom, afastando-se de Papai, enquanto ela, Marie, teria enfiado nervosamente na boca aquele horrendo soldadinho de plástico chamado Brady.

Pois bem: nesta família de agora a risada era incentivada! Na noite passada, quando Josh lhe deu um susto com seu Game Boy, ela esguichou pasta de dente no espelho e todos eles racharam o bico, rolando pelo chão com Goochie, e Josh disse, com aquela nostalgia na voz, "Mãe, lembra quando Goochie era um filhotinho?". Foi quando Abbie caiu no choro, porque, tendo só cinco anos, não tinha lembrança de Goochie como filhotinho.

Daí aquela Missão Família. E quanto a Robert? Oh, Deus abençoe Robert! Aquilo sim era um homem. Ele não teria qualquer problema com aquela Missão Família. Ela adorava o modo como ele dizia "Ho HO!" toda vez que ela trazia para casa alguma coisa nova e inesperada.

"Ho HO!", disse Robert, ao chegar em casa e se deparar com a iguana. "Ho HO!", disse, ao chegar e encontrar o furão tentando entrar na gaiola da iguana. "Pelo visto, somos os felizes administradores de um minizoológico!"

Ela o amava por seu temperamento brincalhão — você podia trazer para casa um hipopótamo comprado com cartão de crédito (tanto o furão como a iguana tinham sido comprados assim) e ele se limitaria a dizer "Ho HO!" e perguntar o que a criatura comia, a que horas dormia e que nome iriam dar ao malandro.

No banco de trás, Josh fazia o som *git-git-git* que sempre fazia quando seu Padeiro estava no Modo Assar, tentando colocar seus Pães no forno enquanto rechaçava vários Invasores Famintos, tais como uma Raposa de barriga inchada; ou como um excêntrico Sabiá que roubava improvavelmente o Pão, espetado no seu bico, toda vez que conseguia derrubar uma Pedra Barulhenta em cima do Padeiro — coisas que Marie tinha aprendido ao longo do verão estudando o manual do Padeiro Nobre enquanto Josh dormia.

E aquilo tinha ajudado, tinha mesmo. Josh estava menos retraído ultimamente, e agora quando ela chegava por trás dele enquanto ele estava jogando e dizia, por exemplo, "Uau, querido, eu não sabia que você podia fazer Pumpernickel", ou "Meu bem, experimente Lâmina Serrilhada, que corta mais depressa. Experimente-a quando estiver no modo Janela Trancada", ele esticava para trás sua mão sem controle e lhe dava um tapinha afetuoso, e ontem eles deram boas risadas quando ele acidentalmente arrancou os óculos dela.

Então a mãe dela podia continuar dizendo à vontade que ela estava mimando as crianças. Aquelas não eram crianças mimadas. Eram crianças *bem-amadas*. Pelo menos ela não tinha deixado nenhuma delas de pé na nevasca por duas horas depois de um baile do colégio. Pelo menos ela nunca tinha vociferado bêbada para uma delas, "Não sei se te considero com estofo para chegar à faculdade". Pelo menos ela nunca tinha trancado nenhuma delas num armário (num armário!) enquanto entretinha na sala um peão que cavava valas na estrada.

Oh, meu Deus, que mundo maravilhoso! As cores do outono, aquele rio cintilante, aquela nuvem cor de chumbo apontando como uma flecha arredondada para aquele McDonald's meio remodelado que se erguia sobre a rodovia I-90 como um castelo.

Desta vez seria diferente, ela tinha certeza. As crianças cuidariam por conta própria daquele cachorrinho, já que um cachorrinho não tinha escamas e não mordia. ("Ho HO!", disse Robert na primeira vez que a iguana o mordeu. "Vejo que você tem uma opinião pessoal sobre o assunto!")

Obrigada, Senhor, pensava ela, enquanto o Lexus rasgava velozmente o milharal. Você me deu tanto: batalhas e a força para vencê-las; graça, e a cada dia novas oportunidades para espalhar essa graça em volta de mim. E na sua cabeça ela cantava, como fazia às vezes ao sentir que o mundo era bom e que ela tinha encontrado enfim seu lugar nele, "Ho HO, ho HO!".

Callie abriu a persiana.

Sim. Incrível. Tinha resolvido tudo de um jeito tão *perfeito*.

Havia muita coisa para ele fazer ali. Um quintal podia ser todo um mundo. Como o quintal dela, quando criança, tinha sido todo um mundo. Dos três buracos na cerca deles ela era capaz de ver Exxon (Buraco Um) e a Esquina do Acidente (Buraco Dois), e o Buraco Três era na verdade dois buracos que, alinhados do jeito certo, os olhos da gente faziam aquele estrabismo bizarro e dava para brincar de Oh Meu Deus Estou Doidão, cambaleando com os olhos vesgos, dizendo, "Paz, cara, paz".

Quando Bo crescesse, ia ser diferente. Ele ia precisar de liberdade então. Mas agora ele só precisava não ser morto. Uma vez o encontraram lá longe, em Testament. Do outro lado da I-90. Como é que ele tinha atravessado a I-90? Ela sabia muito bem como. Voando como uma flecha. Era assim que ele atravessava ruas. Uma vez um completo desconhecido tinha ligado para eles da Hightown Plaza. Até mesmo o dr. Brile tinha dito: "Callie, esse menino vai acabar morto se você não der um jeito de controlar isso. Ele está tomando a medicação?".

Bem, estava e não estava. Os remédios o faziam ranger os dentes e subitamente ele dava com o punho em cima de alguma coisa. Tinha quebrado pratos daquele jeito, e uma vez o tampo de uma mesa de vidro, levando quatro pontos no pulso.

Hoje ele não precisava dos remédios porque estava em segurança no quintal, que ela arranjara de um jeito tão *perfeito*.

Ele estava lá fora treinando arremessos: enchia de pedrinhas seu capacete dos Yankees e as atirava na árvore.

Ele ergueu os olhos e a viu e fez aquele gesto de soprar um beijo.

Homenzinho querido.

Agora sua única preocupação era com o cachorrinho. Tomara que a mulher que tinha telefonado aparecesse de fato. Era um belo cachorrinho. Branco, com uma mancha marrom em volta de um olho. Fofinho. Se a mulher aparecesse, certamente iria querê-lo. E se ela o levasse, Jimmy se livraria do apuro. Ele tinha detestado fazer aquilo com os gatinhos naquela outra vez. Mas se ninguém levasse o cachorrinho ele faria de novo. Teria que fazer. Porque, no seu modo de ver, se você dizia que ia fazer uma coisa e não fazia, era assim que as crianças caíam nas drogas. Além disso, tinha sido criado numa fazenda, ou pelo menos perto de uma fazenda, e qualquer pessoa criada numa fazenda sabia que você tinha que fazer o que tinha que fazer em termos de animais doentes ou animais sobrando — o cachorrinho, no caso, não estava doente, só estava sobrando.

Naquela vez com os gatinhos, Brianna e Jessi o tinham chamado de assassino, deixando Bo todo agitado, e Jimmy tinha berrado, "Ouçam, crianças, fui criado numa fazenda e a gente tinha que fazer o que tinha que fazer!". Depois ele chorou na cama, contando como os gatinhos tinham ficado miando dentro do saco pelo caminho todo até o lago, e como ele tinha desejado nunca ter sido criado numa fazenda, e ela quase disse "Você quer dizer perto de uma fazenda" (o pai dele tinha um lava-rápido nos arredores de Cortland), mas às vezes quando ela se metia a espertinha ele dava aquele beliscão forte no braço dela enquanto rodopiava com ela pelo quarto, como se o lugar onde ele beliscava fosse assim como a alça dela, e dizia, "Não tenho certeza de ter ouvido direito o que você acaba de dizer".

Por isso, naquela vez depois dos gatinhos, ela tinha se limitado a dizer, "Oh, querido, você fez o que tinha que fazer".

E ele tinha respondido, "Acho que fiz, mas com certeza não é fácil criar filhos do jeito certo".

E então, pelo fato de ela não ter tornado a vida dele mais dura dando uma de espertinha, eles tinham ficado lá deitados fazendo planos, por exemplo por que não vender esta casa e mudar para o Arizona e comprar um lava-rápido, por que não comprar um Hooked on Phonics* para as crianças, por que não

---

* Hooked on Phonics: marca de um método multimídia de aprendizado de leitura para crianças em idade pré-escolar. Inclui música, livros, cartas de baralho etc. (N. T.)

plantar tomates, e então eles se engalfinharam e (ela não tinha ideia de por que se lembrava de tudo isso) ele tinha feito aquela coisa: bem agarrado a ela, soltou aquela súbita risada/bafejo desesperado no meio dos cabelos dela, como se espirrasse, ou como se estivesse prestes a cair no choro.

Aquilo fez com que ela se sentisse especial, já que ele confiava nela daquele jeito.

Então, o que ela adoraria, hoje à noite? Vender o cachorrinho, botar as crianças cedo na cama e então, Jimmy vendo que ela era toda organizada em termos de cachorrinho, eles podiam fazer uma farra e depois ficar ali deitados fazendo planos, e ele podia soltar aquela risada/bafejo nos cabelos dela de novo.

Por que aquela risada/bafejo significava tanto para ela? Não tinha a mínima ideia. Era só uma das coisas esquisitas que compunham a Maravilha que Era Ela, hahaha.

Lá fora, Bo se pôs de pé, subitamente curioso. Seria porque (lá vamos nós) a mulher que tinha telefonado tinha acabado de estacionar?

Isso mesmo, e num belo carro também, o que a fez pensar que tinha sido um erro colocar "Pechincha" no anúncio.

Abbie deu um gritinho estridente, "Adorei, Mamãe, quero ele!", enquanto o cachorrinho lançava um olhar embaçado de dentro da sua caixa de sapatos e a dona da casa saía recolhendo um-dois-três-quatro *cocôs de cachorro* do tapete.

Uau, que superexcursão de estudos para as crianças, pensou Marie, haha (a imundície, o cheiro de mofo, o aquário seco sustentando o volume único da enciclopédia, a panela de macarrão na prateleira de livros com uma bengala de açúcar saltando inexplicavelmente para fora), e embora algumas pessoas em seu lugar talvez tivessem sentido nojo (do pneu em cima da *mesa da sala de jantar*, do modo como a carrancuda cadela-mãe, a provável cagona da casa, arrastava agora a bunda sobre a pilha de roupas no canto, sentada, de pernas abertas, uma expressão idiota de prazer na cara), Marie se deu conta (resistindo ao impulso de correr até a pia e lavar as mãos, em parte porque havia uma *bola de basquete* dentro da pia) de que aquilo na verdade era profundamente triste.

Por favor não toquem em nada, por favor não toquem, ela disse a Josh e Abbie, mas só mentalmente, desejando dar às crianças uma oportunidade de observá-la sendo democrática e compreensiva, e depois elas poderiam lavar as mãos no McDonald's meio remodelado, desde que até lá fizessem o grande favor de mantê-las longe da boca, e que Deus as impedisse de esfregar os olhos.

O telefone tocou e a dona da casa arrastou os pés até a cozinha e pousou *em cima da bancada* os pedaços de cocô delicadamente carregados, embrulhados em papel-toalha.

"Mamãe, eu quero ele", disse Abbie.

"Prometo que vou levá-lo para passear tipo duas vezes por dia", disse Josh.

"Não diga 'tipo'", disse Marie.

"Prometo que vou levá-lo para passear duas vezes por dia", disse Josh.

Ok, então, tudo bem, eles adotariam um cachorro caipira. Haha. Poderiam batizá-lo de Jecão, comprar para ele um cachimbinho de espiga de milho e um chapéu de palha. Ela imaginou o cachorrinho, depois de cagar no tapete, erguendo os olhos para ela, como quem diz *Discurpa, num guentei*. Mas não. Ela por acaso tinha vindo de um lugar perfeito? Tudo era transmutável. Imaginou o cachorrinho já crescido, recebendo alguns amigos, falando com eles com acento britânico: *Minha família de*

42

origem não era propriamente, ahn, como dizer, das mais respeitáveis...

Hahaha, a mente era mesmo uma coisa fantástica, sempre soltando daquelas...

Marie deu uns passos até a janela e, afastando antropologicamente a persiana, levou um choque, um choque tão grande que ela soltou de repente a persiana e balançou a cabeça, como se tentasse acordar, chocada por ver um garotinho, poucos anos mais novo que Josh, arreado e acorrentado a uma árvore por meio de uma geringonça que — ela afastou de novo a persiana, certa de que não podia ter visto o que acreditava ter visto...

Quando o garoto corria, a corrente se desenrolava. Ele estava correndo agora, olhando para ela, se exibindo. Quando chegou ao fim da corrente, ela deu um tranco e ele caiu como se tivesse tomado um tiro.

Ele se ergueu até ficar sentado, ralhou com a corrente, puxou-a de um lado para o outro, engatinhou até uma tigela de água e, levando-a aos lábios, tomou um gole: um gole da água *de uma tigela de cachorro.*

Josh se juntou a ela na janela.

Ela o deixou olhar.

Ele precisava saber que o mundo não se resumia a aulas e iguanas e Nintendo. Era também aquele pobre menino sujo de terra, amarrado como um animal.

Ela se viu saindo do armário e dando de cara com a lingerie da mãe espalhada e o cabide do cavador de valas cheio de bandeirolas cor de laranja. Ela se viu esperando do lado de fora do colégio no frio cortante, com a neve caindo cada vez mais forte, e ela contando até duzentos de novo e de novo, prometendo a si mesma a cada vez que quando chegasse aos duzentos começaria a longa caminhada de volta para casa...

Deus do céu, ela faria qualquer coisa para que um adulto

honrado interpelasse sua mãe e a sacudisse dizendo, "Sua idiota, esta é sua filha, sua filha que você...".

"Então, pessoal, que nome vocês estão pensando em dar para ele?", disse a mulher, voltando da cozinha.

A crueldade e a ignorância simplesmente irradiavam daquela cara gorda, com seu pequeno borrão de batom.

"Lamento, mas acho que não vamos levá-lo, no fim das contas", disse Marie, com frieza.

O escândalo que Abbie fez! Mas Josh — ela teria que elogiá-lo depois, talvez comprar para ele o Pacote de Expansão Pães Italianos — sussurrou alguma coisa para Abbie e em seguida os dois saíram, atravessando a cozinha atulhada (passando por uma espécie de *eixo de manivela* pousado numa embalagem de biscoitos e por um pedaço de pimenta vermelha boiando *numa lata de tinta verde*), enquanto a dona da casa corria atrás deles dizendo, esperem, esperem, podiam levá-lo de graça, por favor, levem — ela realmente queria que eles levassem o bicho.

Não, disse Marie, não poderiam levá-lo desta vez, pois seu sentimento era de que a gente não devia realmente possuir algo de que não fosse capaz de cuidar direito.

"Oh", disse a mulher, estacando desanimada junto à porta, com o cachorrinho escalando seu ombro.

Lá fora, já no Lexus, Abbie começou a chorar baixinho, dizendo, "Era o cachorrinho perfeito para mim".

E era um cachorrinho ótimo, mas Marie não iria contribuir para uma situação como aquela de jeito nenhum.

Simplesmente não faria aquilo.

O menino veio até a cerca. Se ela ao menos pudesse dizer para ele, com um único olhar, A *vida não será necessariamente sempre assim. Sua vida poderá de repente florescer em algo maravilhoso. Pode acontecer. Aconteceu comigo.*

Mas essa coisa de olhares secretos, olhares que transmitiam

um mundo de significados com seu blá-blá-blá sutil — isso tudo era bobagem. O que não era bobagem era ligar para o Conselho Tutelar, onde ela conhecia Linda Berling, uma mulher muito linha-dura que levaria aquele pobre menino embora tão depressa que faria girar a cabeça dura daquela mãe gorda.

Callie gritou, "Bo, volto num segundo!" e, abrindo caminho em meio ao milharal com o braço não ocupado pelo cachorrinho, caminhou até não haver nada além de milho e céu. Ele era tão pequeno que não se moveu quando ela o pousou no chão, só fungou e tombou de lado.

Bem, qual a diferença, sufocado num saco ou morto de fome no milharal? Assim Jimmy não tinha que tomar a atitude. Ele já tinha muita coisa para se preocupar. O rapaz que ela tinha conhecido com cabelo até a cintura era agora aquele velho encolhido de preocupação. Quanto ao dinheiro, ela própria tinha sessenta escondidos. Podia tirar vinte para dar a ele e dizer: "O pessoal que comprou o cachorrinho era superbacana".

Não olhe para trás, não olhe para trás, repetiu mentalmente ao atravessar correndo o milharal de volta para casa.

Em seguida estava andando pela Teallback Road como alguém fazendo uma caminhada, como uma madame que anda toda noite para emagrecer, só que ela estava muito longe de ser magra, sabia disso, e sabia também que quando a gente caminhava por esporte não vestia jeans e botinas desamarradas. Haha. Não era burra. Simplesmente fazia más escolhas. Lembrou-se da irmã Lynette dizendo: "Callie, você até que é inteligente, mas se inclina para aquilo que não lhe faz bem". *Pois é, irmã, você acertou*, disse mentalmente para a freira. Mas que diabo. Que diacho. Quando as coisas melhorassem, financeiramente falando, ela ia comprar tênis decentes e começar a caminhar para emagrecer. E ia entrar na escola noturna. Emagrecer. Talvez com tecnologia médica. Nunca ia ser magra de verdade. Mas Jimmy gostava dela do jeito que ela era. E ela gostava dele do jeito que ele era. Talvez o amor seja isso mesmo: gostar de alguém como ele é e fazer coisas que o ajudem a melhorar mais ainda.

Como agora, que ela estava tornando a vida de Jimmy mais fácil ao matar um bicho para que ele... Não. Tudo o que ela estava fazendo era andar, andar para longe de...

O que ela tinha acabado de dizer? Aquilo tinha sido bom. *Amar é gostar de alguém como ele é e fazer coisas que o ajudem a melhorar ainda mais.*

Por exemplo, Bo não era perfeito, mas ela o amava como ele era e tentava ajudá-lo a melhorar. Se pudessem mantê-lo a salvo, talvez ele se acalmasse com o passar dos anos. Se ele se acalmasse, talvez um dia pudesse ter uma família. Lá estava ele agora no quintal, sentado em silêncio, olhando para as flores. Dando batidinhas com seu taco, bem feliz. Ele ergueu os olhos, acenou com o taco, lançou a ela aquele seu sorriso. Ontem ele tinha ficado preso dentro de casa, todo infeliz. Tinha terminado o dia berrando na cama, de tão frustrado. Hoje estava olhando para as flores. Quem foi que teve aquela ideia, a ideia que tornou o hoje melhor do que o ontem? Quem o amava o bastante para ter aquela ideia? Quem o amava, mais do que qualquer outra pessoa no mundo?

Ela.

Ela que amava.

Fuga da Cabeça da Aranha

I

"Receptor conectado?", disse Abnesti pelo sistema de som.

"O que é que tem dentro?", perguntei.

"Euforizante", disse ele.

"Positivo", disse eu.

Abnesti usou seu controle remoto. Meu MobiPak™ vibrou. Logo o Jardim Interno ficou realmente lindo. Tudo parecia superclaro.

Eu disse em voz alta, como se esperava, o que estava sentindo.

"O jardim está lindo", falei. "Superclaro."

Abnesti disse: "Jeff, o que acha de darmos uma incrementada nesses centros de linguagem?".

"Claro", respondi.

"Receptor conectado?", disse ele.

"Positivo", respondi.

Ele adicionou um pouco de Verbaluce™ no receptor, e

num instante eu estava sentindo as mesmas coisas, mas expressando-as melhor. O jardim ainda estava lindo. E não é que os arbustos estavam mais compactos e o sol fazia tudo se destacar? Era como se a qualquer momento a gente fosse ver alguns aristocratas vitorianos perambulando por ali com suas xícaras de chá. Era como se o jardim tivesse se convertido numa espécie de materialização dos sonhos domésticos inerentes à consciência humana. Era como se de repente eu pudesse discernir, naquela vinheta contemporânea, o antigo corolário que Platão e alguns de seus contemporâneos talvez tivessem palmilhado; isto é, eu estava percebendo o eterno no efêmero.

Fiquei sentado, agradavelmente entregue a esses pensamentos, até que o Verbaluce™ começou a perder o efeito. A essa altura o jardim passou a parecer apenas bonito de novo. Tinha alguma coisa a ver com os arbustos e tudo mais? Fazia a gente simplesmente querer se estender lá e ficar tomando sol e tendo pensamentos felizes. Se é que vocês me entendem.

Então o que quer que houvesse além disso no receptor acabou, e eu não senti mais nada de especial quanto ao jardim, de um jeito ou de outro. Minha boca estava seca, porém, e minha barriga estava com aquela sensação pós-Verbaluce™.

"Sabe para que essa droga vai ser bacana?", disse Abnesti.

"Hum, digamos que para um cara que tem de ficar acordado até tarde vigiando uma fronteira. Ou que está na escola esperando o filho e fica entediado. Mas tem alguma natureza por perto? Ou, digamos, um guarda-florestal que precisa fazer turno dobrado?"

"Vai ser bacana", disse eu.

"É o ED763", disse ele. "Estamos pensando em chamá-lo de NatuGlide. Ou talvez EarthAdmire."

"Os dois nomes são bons", disse eu.

"Obrigado pela ajuda, Jeff", disse ele.

Era o que ele sempre dizia.

48

"Só falta um milhão de anos", disse eu.

Era o que eu sempre dizia.

Então ele disse: "Saia do Jardim Interno agora, Jeff, vá para a Sala Pequena de Trabalho 2".

II

Dentro da Sala Pequena de Trabalho 2 estava uma garota alta e pálida. "O que você acha?", disse Abnesti pelo sistema de som. "Eu?", perguntei. "Ou ela?"

"Ambos", disse Abnesti.

"Bastante boa", disse eu.

"Legal, quer dizer", disse ela. "Normal."

Abnesti pediu que avaliássemos um ao outro de modo mais quantificável, no quesito beleza, no quesito sensualidade.

Aparentemente, tínhamos gostado médio um do outro, isto é, sem grande atração nem repulsa de uma parte e de outra.

Abnesti disse: "Jeff, receptor conectado?".

"Positivo", respondi.

"Heather, receptor conectado?", ele perguntou.

"Positivo", respondeu Heather.

Então olhamos um para o outro como quem diz: O que vai acontecer agora?

O que aconteceu foi o seguinte: Heather logo me pareceu o máximo. E dava para perceber que ela pensava o mesmo de mim. Veio tão de repente que estávamos meio que rindo. Como é que a gente não tinha percebido o quanto o outro era uma gracinha? Felizmente havia um sofá na Sala de Trabalho. Ao que parece, nossos receptores continham, além do que quer que estivessem testando, um pouco de ED556, que baixa nosso nível de vergonha a quase zero. Porque não demorou para que nós, ali no sofá, chegássemos às vias de fato. A coisa foi tórrida entre nós. E não apenas no que se refere ao tesão. Tórrido, sim, mas também perfeito. Como se você tivesse sonhado a vida toda com uma certa garota e não mais que de repente ela aparecesse ali, na sua mesma Sala de Trabalho. "Jeff", disse Abnesti. "Peço sua permissão para incrementar seus centros de linguagem."

"Vá em frente", disse eu, agora por baixo dela.

"Receptor conectado?", disse ele.

"Positivo", respondi.

"Eu também?", perguntou Heather.

"Pode crer", disse Abnesti, rindo. "Receptor conectado?"

"Positivo", disse ela, ofegante.

Num instante, desfrutando os efeitos benéficos do Verbaluce™ fluindo em nossos receptores, estávamos não apenas trepando realmente bem, mas também falando às mil maravilhas. Por exemplo, em vez de dizer simplesmente as coisas de tipo sexual que vínhamos dizendo (tais como "uau" e "meu Deus" e "veeem" e por aí afora), agora passávamos a discorrer livremente sobre nossas sensações e pensamentos, em dicção elevada, com um vocabulário ampliado em oitenta por cento, e nossas bem articuladas ideias eram gravadas para análise posterior.

Para mim, a sensação era, aproximadamente, a seguinte: espanto diante da súbita percepção de que aquela mulher estava sendo criada em tempo real, diretamente da minha cabeça, de acordo com meus mais profundos desejos. Finalmente, depois de todos aqueles anos (era o meu pensamento), eu tinha encontrado a combinação exata de corpo/rosto/mente que personificava tudo o que havia de desejável. O gosto da sua boca, a visão do halo de cabelo louro esparramado em torno de seu rosto angelical e ao mesmo tempo sacana (ela estava embaixo de mim agora, com as pernas para cima), até mesmo (sem querer ser grosseiro ou desonrar os sentimentos exaltados que eu experimentava) as sensações que sua vagina estava produzindo ao longo do meu pênis impetuoso eram precisamente aquelas pelas quais eu tinha ansiado, embora eu nunca tivesse me dado conta, antes daquele instante, de que ansiava tão ardentemente por elas.

Vale dizer: um desejo surgia e, simultaneamente, surgia também a satisfação desse desejo. Era como se (a) eu ansiasse por um certo sabor (até então não saboreado) até que (b) o referido anseio se tornasse quase insuportável, momento em que (c) eu encontrava um bocado de comida com aquele exato sabor já na minha boca, satisfazendo com perfeição meu anseio.

Cada expressão vocal, cada ajuste de postura anunciava a mesma coisa: conhecíamos um ao outro desde sempre, éramos almas gêmeas, tínhamos nos encontrado e amado em numerosas vidas pregressas, e nos encontraríamos e amaríamos em muitas vidas futuras, sempre com os mesmos resultados transcendentemente acachapantes.

Então veio uma flutuação difícil de descrever, mas muito real, rumo a um punhado de devaneios em sequência que talvez sejam mais bem descritos como um tipo de panorama não narrativo, isto é, uma série de imagens mentais vagas de lugares onde eu jamais tinha estado (um certo vale repleto de pinheiros em altas montanhas brancas; uma casa tipo chalé numa rua sem saída, cujo jardim estava coberto de amplas e atrofiadas árvores seussianas*), cada uma das quais desencadeava um profundo anseio sentimental, anseios que se amalgamavam a um anseio

---

* Seussianas: referência ao escritor e ilustrador norte-americano Theodore Seuss Geisel (1904-1991), mais conhecido pelo pseudônimo Dr. Seuss, autor de mais de quarenta livros infantis. (N. T.)

central, e logo se reduziam a ele, isto é, um intenso anseio por Heather e só por Heather. Esse fenômeno de panoramas mentais foi mais forte durante nossa terceira (!) rodada de sexo. (Ao que parece, Abnesti havia incluído um pouco de Vivistif™ em meu receptor.)

Em seguida, nossas declarações de amor brotaram de modo simultâneo, linguisticamente complexo e metaforicamente rico: ouso dizer que viramos poetas. Tivemos permissão para ficar lá deitados, com os membros entrelaçados, por mais ou menos uma hora. Foi puro êxtase. Foi a perfeição. Foi aquela coisa impossível: felicidade que não cessa de revelar os pequenos brotos de algum novo desejo saindo de dentro de si.

Nos abraçamos com um ímpeto/concentração que rivalizava com o ímpeto/concentração com que tínhamos trepado. Não havia nada de *menos* no abraço em comparação com a trepada, é o que quero dizer. Estávamos bem grudados um ao outro do jeito superamistoso dos cachorrinhos, ou dos cônjuges que se encontram pela primeira vez depois que um deles passou muito perto da morte. Tudo parecia úmido, permeável, *dizível*.

Então alguma coisa no receptor começou a minguar. Será que Abnesti tinha cortado o Verbaluce™? E também o redutor de vergonha? Basicamente, tudo começou a *definhar*. De repente sentimos vergonha. Mas ainda estávamos amorosos. Começamos o processo de tentar conversar *après* Verbaluce™: sempre embaraçoso.

No entanto eu podia ver nos seus olhos que ela ainda estava sentindo amor por mim.

E eu, definitivamente, ainda estava sentindo amor por ela.

Ora, por que não? Tínhamos acabado de trepar três vezes! Por que vocês acham que isso recebe o nome de "fazer amor"? Era o que tínhamos acabado de fazer três vezes: amor.

Então Abnesti disse: "Receptor conectado?".

Tínhamos meio que esquecido que ele estava bem ali, atrás do vidro espelhado.

Eu disse: "Precisamos mesmo? Estamos gostando de verdade do jeito que está agora".

"Vamos só experimentar trazer vocês de volta ao normal", disse ele. "Temos mais o que fazer hoje."

"Merda", disse eu.

"Vermes", disse ela.

"Receptor conectado?", ele perguntou.

"Positivo", respondemos.

Num instante, alguma coisa começou a mudar. Quer dizer, ela ainda era ótima. Uma garota pálida e bonita. Mas nada especial. E eu podia perceber que ela sentia o mesmo em relação a mim: Aquele alvoroço agora há pouco tinha sido por quê, mesmo?

Por que não estávamos vestidos? Nos vestimos às pressas. Tipo um constrangimento.

Eu a amava? Ela me amava?

Rá.

Não.

Então chegou a hora de ela partir. Trocamos um aperto de mãos.

E lá foi ela.

Veio o almoço. Numa bandeja. Espaguete com pedaços de frango.

Cara, eu estava faminto.

Passei todo o almoço pensando. Era bizarro. Eu tinha a lembrança da trepada com Heather, a lembrança de ter sentido as coisas que senti por ela, a lembrança de ter dito as coisas que disse para ela. Minha garganta estava até meio inflamada de tanto que eu tinha falado, com a rapidez com que tinha me sentido compelido a falar. Mas e quanto aos sentimentos? Basicamente não tinha sobrado nada. Só um rosto afogueado e alguma vergonha por ter trepado três vezes na frente de Abnesti.

III

Depois do almoço entrou outra garota. Igualmente assim-assim. Cabelo preto. Constituição mediana. Nada especial, assim como Heather, quando apareceu, também não tinha nada especial. "Esta é Rachel", disse Abnesti pelo sistema de som. "Este é Jeff."

"Oi, Rachel", disse eu.

"Oi, Jeff", disse ela.

"Receptor conectado?", perguntou Abnesti.

Confirmamos.

Alguma coisa parecia muito familiar no modo como eu me sentia agora. De repente Rachel me pareceu superboa. Abnesti pediu permissão para incrementar nossos centros de linguagem via Verbaluce™. Permitimos. Não demorou para que também nós estivéssemos trepando como coelhos. Mais uma vez, estavam surgindo certas sensações ao mesmo tempo que surgia um anseio desesperado por essas mesmas sensações. Logo minha lembrança do gosto perfeito da boca de Heather estava sendo suplantada pelo gosto atual da boca de Rachel, muito mais o gosto que eu agora desejava. Eu estava sentindo emoções sem precedentes, ainda que tais emoções sem precedentes fossem (conforme eu discernia em algum lugar da consciência) exatamente as *mesmas emoções* que eu tinha sentido antes, por aquela Heather agora aparentemente destituída de valor. O que quero dizer é que Rachel era *isso*. Sua cintura delicada, sua voz, seus famintos boca/ mãos/quadris — tudo era *isso*.

Ah, como eu amava Rachel.

Então veio a sequência de devaneios geográficos (ver acima): o mesmo vale repleto de pinheiros, a mesma casa do tipo chalé, acompanhados do mesmo anseio por um lugar que se transmutava em anseio por (desta vez) Rachel. Enquanto seguíamos desempenhando um nível de energia sexual que causava o que eu descreveria como um elástico de doçura na altura do peito, cada vez mais apertado, nos unindo e nos impelindo a continuar, sussurrávamos de modo febril (e preciso, e poético) que tínhamos a impressão de nos conhecer desde sempre.

De novo o número de vezes em que fizemos amor foi três. Então, como antes, veio o definhamento. Nossa conversa ficou menos excelente. As palavras eram mais escassas, as frases mais curtas. Ainda assim, eu a amava. Amava Rachel. Tudo nela parecia simplesmente *perfeito*: a pinta na bochecha, o cabelo preto, a pequena torção de quadris que ela fazia de quando em quando, como se dissesse: Hummmmmmmm, isso era sempre bom.

"Receptor conectado?", perguntou Abnesti. "Vamos tentar trazer vocês dois de volta à normalidade."

"Positivo", disse ela.

"Ah, espere um pouco", disse eu.

"Jeff", disse Abnesti, irritado, como que tentando me lembrar de que eu não estava ali por opção, mas porque tinha cometido meu crime e estava cumprindo minha pena.

"Positivo", eu disse. E lancei a Rachel um último olhar de amor, sabendo (como ela ainda não sabia) que aquele seria o último olhar de amor que eu estaria lhe lançando.

Num instante ela passou a me parecer meramente bacana, e eu a ela. A exemplo de Heather, dava a impressão de estar constrangida, como se pensasse: O que foi isso que acabou de acontecer? Por que eu passei dos limites com o sr. Mediano aqui? Eu a amava? Ela me amava?

Não.

Quando chegou a hora de ela partir, trocamos um aperto de mãos.

O local onde meu MobiPak™ estava cirurgicamente incorporado à minha lombar estava dolorido devido a todas as nossas mudanças de posição. Além disso eu estava cansado. Além disso me sentindo muito triste. Por que triste? Eu não era um marmanjo? Não tinha acabado de trepar com duas garotas diferentes, num total de seis vezes, num único dia? Mesmo assim, honestamente, eu me sentia triste até não poder mais. Acho que estava triste porque o amor não era real. Ou não totalmente real, pelo menos. Acho que estava triste porque o amor podia parecer tão real e no minuto seguinte desaparecer, e tudo por causa de alguma coisa que Abnesti estava fazendo.

IV

Depois do lanche Abnesti me chamou ao Controle. O Controle era como a cabeça de uma aranha. Suas várias pernas eram nossas Salas de Trabalho. Às vezes éramos convocados para trabalhar com Abnesti na Cabeça da Aranha, como a chamávamos.

"Sente-se", disse ele. "Dá uma olhada na Sala Grande de Trabalho 1."

Na Sala Grande de Trabalho 1 estavam Heather e Rachel, lado a lado.

"Reconhece as duas?", ele perguntou.

"Rá", respondi.

"Agora", disse Abnesti, "vou presentear você com uma escolha, Jeff. A brincadeira aqui é a seguinte. Está vendo este controle remoto? Digamos que você pode pressionar *este* botão e Rachel recebe o Darkenfloxx™. Ou então você pressiona *este outro* botão e é Heather que recebe o Darkenfloxx™. Está vendo? Você escolhe."

"Elas têm Darkenfloxx™ em seus MobiPaks™?", perguntei.

"Todos vocês têm Darkenfloxx™ em seus MobiPaks™, bobão", disse Abnesti afetuosamente. "Verlaine o instalou na quarta-feira. Em preparação justamente para este estudo."

Bem, isso me deixou nervoso.

Imagine a pior coisa que você já sentiu e multiplique por dez. Isso não chega nem perto de como você se sente com Darkenfloxx™. Aquela vez em que ele nos foi administrado na Orientação, brevemente, para efeito de demonstração, em um terço da dose agora selecionada no controle remoto de Abnesti? Nunca me senti tão mal. A gente só ficou gemendo, de cabeça baixa, tipo, Como é que alguma vez chegamos a achar que valia a pena viver?

Não gosto nem de pensar naquele dia.

"Qual é a sua decisão, Jeff?", perguntou Abnesti. "É Rachel que vai tomar o Darkenfloxx™? Ou Heather?"

"Não sei dizer", respondi.

"Mas você precisa", disse ele.

"Não posso", disse eu. "Seria algo aleatório."

"Você sente que sua decisão seria aleatória", disse ele.

"Sim", confirmei.

E era verdade. Eu realmente não me importava. Era como se eu colocasse *você* na Cabeça da Aranha e lhe desse a opção: Qual dessas duas estranhas você gostaria de mandar para o vale da sombra da morte?

"Dez segundos", disse Abnesti. "O que estamos testando aqui é a existência de um possível resquício de afeto."

Não é que eu gostasse de ambas. Para ser franco, eu me sentia completamente neutro em relação às duas. Era como se eu nunca tivesse visto, e muito menos fodido, nenhuma das duas. (Acho que o que estou dizendo é que tiveram sucesso em me trazer de volta à estaca zero.) Mas, tendo sido Darkenfloxxado™ uma vez, eu simplesmente não queria fazer aquilo com ninguém. Mesmo se eu não gostasse muito da pessoa, mesmo se eu a odiasse, ainda assim não gostaria de fazer.

"Cinco segundos", disse Abnesti.

"Não sou capaz de decidir", disse eu. "É aleatório."

"Aleatório mesmo?", perguntou ele. "Ok. Vou dar o Darkenfloxx™ a Heather."

Não me mexi dali.

"Não, pensando bem", disse ele, "vou dá-lo a Rachel."

Não me mexi.

"Jeff", disse ele. "Você me convenceu. Para você, seria aleatório. Você realmente não tem preferência. Dá para ver. E portanto eu não preciso fazer isso. Percebe o que acabamos de fazer? Com sua ajuda? Pela primeira vez? Por meio da série ED289/290? Que é o que andamos testando hoje? Admita: você ficou apaixonado. Duas vezes. Certo?"

"Sim", respondi.

"Muito apaixonado", disse ele. "Duas vezes."

"Eu já disse que sim", repeti.

"Mas você não expressou preferência alguma", disse ele. "Logo, não resta nem vestígio de qualquer um daqueles grandes amores. Você foi totalmente expurgado. Nós te levamos às alturas, te puxamos para baixo e agora aqui está você, o mesmo, no que toca a emoções, de antes do início do nosso teste. Isso é poderoso, isso é devastador. Desvendamos um misterioso segredo eterno. Que potencial fantástico para virar o jogo! Digamos que uma pessoa não é capaz de amar. Agora ela é. Podemos fazer com que seja. Digamos que alguém ame demais. Ou que ame alguém considerado inadequado por seu responsável. Podemos diminuir essa merda. Digamos que alguém esteja triste por causa de um amor verdadeiro. A gente entra em ação, ou o responsável pela pessoa entra: chega de tristeza. Deixamos de ser, em termos de controle emocional, barcos à deriva. Ninguém mais será. A gente vê um barco à deriva, sobe a bordo, instala um leme. Guia a pessoa em direção ao amor. Ou para longe dele. Você diz 'All you need is love'? Veja, aqui entra a ED289/290. Podemos parar a guerra? Com certeza podemos brecá-la! De repente os soldados de ambos os lados começam a foder. Ou, numa dosagem menor, se sentem superafetuosos. Ou digamos que existam dois ditadores rivais com um ressentimento mútuo mortal. Levando em conta que a ED289/290 pode funcionar muito bem em forma de comprimido, deixe que eu faça um 'boa noite Cinderela' para cada um deles. Em pouco tempo a língua de um estará explorando a garganta do outro e pombas da paz estarão adornando suas dragonas. Ou, dependendo da dosagem, eles estarão apenas se abraçando. E quem nos ajudou a fazer isso? Você."

Durante esse tempo todo Rachel e Heather tinham ficado sentadas sem fazer nada na Sala Grande de Trabalho 1.

"É só, meninas, obrigado", disse Abnesti pelo sistema de som.

E elas saíram, sem saber o quanto tinham chegado perto de ter Darkenfloxx™ saindo por todos os seus orifícios.

Verlaine levou-as de volta pelos fundos, isto é, não através da Cabeça da Aranha, e sim pelo Beco dos Fundos. Que não é um beco de verdade, só um corredor acarpetado que leva de volta aos nossos Domínios.

"Pense só, Jeff", disse Abnesti. "Pense só se você pudesse ter contado com os benefícios da ED289/290 na sua noite fatídica."

Para falar a verdade, eu estava ficando meio enjoado de ouvi-lo falar toda hora sobre a minha noite fatídica.

Eu tinha lamentado logo em seguida, na mesma noite, e tinha lamentado cada vez mais desde então, e agora lamentava tanto que o fato de ele esfregar aquilo na minha cara não me fazia lamentar nem um pouco mais, mas simplesmente me fazia pensar nele como uma espécie de idiota.

"Posso ir para a cama agora?", perguntei.

"Ainda não", disse Abnesti. "Ainda faltam algumas horas antes de você dormir."

Então ele me mandou para a Sala Pequena de Trabalho 3, onde estava sentado um cara que eu não conhecia.

V

"Rogan", disse o cara.

"Jeff", disse eu.

"O que temos pra hoje?", perguntou ele.

"Não muita coisa", respondi.

Ficamos sentados em tenso silêncio por um bom tempo.

Fiquei esperando sentir de repente vontade de trepar com Rogan.

Mas não.

Uns dez minutos se passaram.

Temos uns clientes bem brutos por aqui. Notei que Rogan tinha uma tatuagem de rato no pescoço, um rato que tinha acabado de ser esfaqueado e estava chorando. Mas mesmo aos prantos ele estava esfaqueando um rato menor, que parecia apenas surpreso.

Por fim Abnesti se manifestou pelo sistema de som.

"É isso aí, rapazes, obrigado", disse ele.

"Que porra foi essa?", disse Rogan.

Boa pergunta, Rogan, pensei. Por que nos deixaram plantados aqui? Do mesmo modo que Heather e Rachel tinham ficado plantadas na outra sala? Então tive um palpite. Para testar meu palpite, resolvi me enfiar de improviso na Cabeça da Aranha. Que Abnesti sempre fez questão de não trancar, para mostrar o quanto confiava em nós e não nos temia. E adivinha quem estava lá?

"Oi, Jeff", disse Heather.

"Jeff, fora daqui", disse Abnesti.

"Heather, me diga uma coisa: o sr. Abnesti fez você decidir a qual de nós, eu ou Rogan, administrar um tanto de Darkenfloxx™?", perguntei.

"Sim", disse Heather. Devia estar sob o efeito de um pouco de VeriTalk™, pois falou a verdade apesar da tentativa de Abnesti de silenciá-la com um gélido olhar paralisante.

"Você trepou recentemente com Rogan, Heather?", perguntei. "Do mesmo jeito que comigo? E também se apaixonou por ele, como se apaixonou por mim?"

"Sim", disse ela.

"Heather, francamente", disse Abnesti. "Feche a matraca."

Heather olhou em volta procurando uma matraca, pois VeriTalk™ tornava a pessoa muito literal.

De volta aos meus Domínios, fiz as contas: Heather tinha trepado três vezes comigo. Provavelmente também tinha trepado três vezes com Rogan, já que, em nome da coerência do projeto, Abnesti devia ter dado a Rogan e a mim a mesma dose de Vivistif™.

E no entanto, falando em coerência do projeto, ainda faltava um item para completar a tarefa, se eu bem conhecia Abnesti, sempre um obsessivo quanto à simetria de dados: Abnesti não iria precisar também que Rachel decidisse a quem administrar o Darkenfloxx™, isto é, a mim ou a Rogan?

Depois de um breve intervalo, minhas suspeitas se confirmaram: eu me vi sentado de novo na Sala Pequena de Trabalho 3 com Rogan!

De novo ficamos sentados por um tempão sem conversar. O que ele mais fazia era cutucar o rato menor e eu tentava observar isso sem que ele visse.

Então, como da outra vez, Abnesti disse pelo sistema de som: "É isso aí, rapazes, obrigado".

"Deixa eu adivinhar", falei. "Rachel está aí com você."

"Jeff, se você não parar com isso, eu juro que...", disse Abnesti. "E ela acaba de se negar a dar Darkenfloxx™ tanto a mim como a Rogan", disse eu.

"Oi, Jeff!", disse Rachel. "Oi, Rogan!"

"Rogan", disse eu. "Por acaso você trepou com Rachel hoje?"

"Bastante", disse Rogan.

Minha cabeça estava girando. Rachel tinha trepado comigo e com Rogan? Heather tinha trepado comigo e com Rogan? E todo mundo que tinha trepado com alguém tinha se apaixonado por essa pessoa, e em seguida caído fora?

Que Equipe de Testes maluca era aquela?

Quer dizer, eu tinha feito parte de algumas Equipes de Testes malucas durante minha pena, como uma em que o receptor tinha alguma coisa nele que tornava extraordinária a audição de música, de tal maneira que quando algum Shostakovich inundava o ar era como se morcegos de verdade rondassem meus Domínios, ou então aquela outra em que minhas pernas ficaram totalmente adormecidas da cintura para baixo e mesmo assim consegui ficar em pé quinze horas a fio diante de uma falsa caixa registradora, súbita e miraculosamente capaz de resolver de cabeça complicadas operações de divisão.

62

Mas, de todas as minhas Equipes de Testes malucas, esta era de longe a mais maluca.

Eu não conseguia deixar de me perguntar o que viria no dia seguinte.

VI

Só que o dia de hoje ainda nem tinha acabado.

Fui chamado de novo à Sala Pequena de Trabalho 3. E estava lá sentado quando entrou aquele sujeito que eu não conhecia.

"Meu nome é Keith!", disse ele, correndo para apertar minha mão.

Era um sulista alto e sem sal, todo dentes e cabelo ondulado.

"Jeff", disse eu.

"Muito prazer em conhecê-lo!", disse ele.

Então ficamos sentados em silêncio. Toda vez que eu olhava para Keith, ele exibia os dentes cintilantes e sacudia a cabeça todo sem graça, como se dissesse: "Trabalhinho bizarro este, né?".

"Keith", eu disse, "você por acaso conhece duas garotas chamadas Rachel e Heather?"

"Poxa, se conheço!", disse Keith. E de repente seus dentes brilharam com uma ponta de malícia.

"Por acaso você fez sexo com Rachel e também com Heather hoje, três vezes com cada uma?", perguntei.

"O que você é, cara, uma espécie de paranormal?", disse Keith. "Está dando um nó na minha cabeça, admito."

"Jeff, você está avacalhando com a integridade de nosso propósito experimental", disse Abnesti.

"Então ou Rachel ou Heather está sentada agora mesmo na Cabeça da Aranha", disse eu. "Tentando decidir."

"Decidir o quê?", perguntou Keith.

"Qual de nós deve receber Darkenfloxx™", respondi.

"Brr", disse Keith. E agora seus dentes brilhavam de pavor.

"Não se preocupe", disse eu. "Ela não vai escolher nenhum."

"Quem não vai?", perguntou Keith.

"Quem quer que esteja lá", disse eu.

"É isso aí, rapazes, obrigado", disse Abnesti.

Então, depois de um curto intervalo, Keith e eu fomos de novo chamados à Sala Pequena de Trabalho 3, onde mais uma vez ficamos esperando enquanto ou Rachel ou Heather se negava a Darkenfloxxar™ qualquer um de nós.

De volta aos meus Domínios, elaborei um gráfico de quem-fodeu-quem, que ficou mais ou menos assim:

Eu Rogan Keith
Heather Rachel

Abnesti entrou.

"Apesar de todas as tuas intrigas", disse ele, "Rogan e Keith tiveram exatamente a mesma reação que você. E Rachel e Heather também. Nenhum de vocês, no momento crítico, foi capaz de decidir quem Darkenfloxxar™. O que é ótimo. O que isso significa? Por que é ótimo? Significa que a ED289/290 é o máximo. Pode produzir amor, pode fazer o amor sumir. Estou quase inclinado a começar o processo de escolha de um nome."

"Aquelas garotas transaram nove vezes cada uma hoje?", perguntei.

"Peace4All", disse ele. "LuvInclyned. Você parece que está puto da vida. Está puto?"

"Bom, eu me sinto meio feito de bobo", disse eu.

"Você se sente feito de bobo porque ainda tem sentimentos

64

amorosos por uma das garotas?", perguntou. "Isso precisaria ser registrado. Raiva? Sentimento de posse? Desejo sexual residual?"

"Não", respondi.

"Você, honestamente, não fica chateado que uma garota por quem sentiu amor tenha sido fodida por dois outros caras, e não só isso, que ela tenha sentido então exatamente a mesma qualidade/quantidade de amor por esses caras que sentiu por você, ou, no caso de Rachel, que estava a ponto de sentir por você, no momento em que trepou com Rogan? Acho que era Rogan. Ela pode ter trepado com Keith primeiro. E então você, em penúltimo lugar. Não me lembro bem da ordem das operações. Posso verificar. Mas pense profundamente nisso."

Pensei profundamente.

"Nada", respondi.

"Bem, é uma porção de coisas para esmiuçar", disse ele. "Felizmente já é de noite. Cumprimos nosso dia. Alguma coisa a mais sobre a qual você queira conversar? Alguma outra coisa que esteja sentindo?"

"Meu pênis está meio machucado", disse eu.

"Bom, isso não é surpresa", disse ele. "Pense no que aquelas garotas devem estar sentindo. Vou mandar Verlaine trazer um creme."

Logo chegou Verlaine com um creme.

"Oi, Verlaine", disse eu.

"Oi, Jeff", disse ele. "Você mesmo passa ou quer que eu passe pra você?"

"Eu passo", respondi.

"Ótimo", disse ele.

E posso garantir que ele estava sendo sincero.

"Parece dolorido", disse ele.

"E está mesmo", disse eu.

"Mas na hora deve ter sido bem bom, né?", perguntou. Suas palavras pareciam dizer que ele estava com inveja, mas eu podia ver em seus olhos, voltados para o meu pênis, que ele não estava nem um pouco com inveja.

Então dormi o sono dos mortos. Como se costuma dizer.

VII

Na manhã seguinte eu ainda estava dormindo quando Abnesti falou pelo sistema de som.

"Lembra de ontem?", perguntou.

"Sim", respondi.

"Lembra que eu perguntei qual garota você queria que recebesse o Darkenfloxx™?", perguntou. "E você disse nenhuma das duas?"

"Lembro", respondi.

"Bem, para mim isso foi mais que suficiente", disse ele. "Mas pelo visto não foi suficiente para o Comitê do Protocolo. Não foi suficiente para os Três Cavaleiros da Analidade. Venha até aqui. Vamos dar início... vamos precisar fazer uma espécie de Teste de Confirmação. Oh, isso não vai prestar."

Entrei na Cabeça da Aranha.

Sentada na Sala Pequena de Trabalho 2 estava Heather.

"Então desta vez", disse Abnesti, "de acordo com o Comitê do Protocolo, em vez de eu te perguntar qual das garotas deve receber o Darkenfloxx™, coisa que o ComProt julgou subjetivo demais, nós vamos dar a essa garota o Darkenfloxx™, não importa o que você diga. Em seguida vamos ver o que você diz. Como ontem, vamos te dar um pouco de... Verlaine? Verlaine? Cadê você? Está aí? O que é que vamos repetir? Você tem o pedido do projeto?"

"Verbaluce™, VeriTalk™, ChatEase™", disse Verlaine pelo sistema de som.

"Certo", disse Abnesti. "E você recarregou o MobiPak™ dele? As quantidades estão boas?"

"Recarreguei", respondeu Verlaine. "Fiz isso enquanto ele estava dormindo. Aliás, já te contei."

"E quanto a ela?", disse Abnesti. "Você recarregou o Mobi-Pak™ dela? As quantidades estão boas?"

"Você estava bem aí e me viu fazendo, Ray", disse Verlaine.

"Jeff, desculpe", disse Abnesti, dirigindo-se a mim. "Estamos tendo um pouco de tensão aqui hoje. Não temos um dia fácil pela frente."

"Não quero que você Darkenfloxxe™ a Heather", disse eu.

"Interessante", disse ele. "Isso porque você a ama?"

"Não", respondi. "Não quero que você Darkenfloxxe™ ninguém."

"Entendo o que quer dizer", disse ele. "Que meigo. Então repito: este Teste de Confirmação é sobre o que você quer? Acho que não. Trata-se, isso sim, de registrarmos o que você diz enquanto observa a Heather sendo Darkenfloxxada™. Durante cinco minutos. Um teste de cinco minutos. Vamos lá. Receptor conectado?"

Eu não disse "Positivo".

"Você devia se sentir lisonjeado", disse Abnesti. "Por acaso escolhemos o Rogan? O Keith? Não. Julgamos o teu nível de expressão verbal mais adequado às nossas necessidades de dados."

Eu não disse "Positivo".

"Por que você protege tanto a Heather?", perguntou Abnesti. "A gente chega a pensar que você a ama."

"Não", disse eu.

"Você pelo menos conhece a história dela?", disse ele. "Não conhece. Legalmente não pode conhecer. Essa história envolve uísque, gangues, infanticídio? Não posso dizer. Quem sabe eu poderia insinuar, de modo periférico, que o passado dela, violento e sórdido, não incluía exatamente uma cadela chamada Lassie e uma porção de conversas em família sobre a Bíblia enquanto a vovó fazia macramê em sua cadeira de balanço, ajustando sua postura porque a pitoresca lareira estava quente demais? Quem sabe eu poderia sugerir que, se você soubesse o que eu sei sobre o passado da Heather, fazê-la se sentir momentaneamente triste, nauseada e/ou amedrontada talvez não parecesse a pior ideia do mundo? Mas não, não posso."

"Tudo bem, tudo bem", disse eu.

"Você me conhece", disse ele. "Quantos filhos eu tenho?"

"Cinco", respondi.

"Como eles se chamam?", perguntou.

"Mick, Todd, Karen, Lisa, Phoebe", respondi.

"Sou um monstro, eu?", ele perguntou. "Por acaso não me lembro dos aniversários por aqui? Quando um certo indivíduo teve uma micose feia na virilha num domingo, um certo outro indivíduo não foi de carro até Rexall para buscar a pomada, pagando por ela com dinheiro do seu próprio bolso?"

Tinha sido uma coisa bacana da parte dele, mas me pareceu pouco profissional trazer aquilo à tona agora.

"Jeff", disse Abnesti, "o que você quer que eu diga aqui? Quer que eu diga que suas sextas-feiras estão em perigo? Posso dizer isso facilmente."

Um golpe baixo. Minhas sextas significavam muito para mim, e ele sabia disso. Às sextas eu entrava no Skype para conversar com minha mãe.

"Quanto tempo te damos atualmente?", perguntou Abnesti.

"Cinco minutos", respondi.

"Que tal passar a ter dez minutos?", perguntou.

Minha mãe parecia sempre deprimida quando nosso tempo acabava. Ela quase morreu quando me prenderam. Quase morreu no julgamento. Ela gastou suas economias para que, em vez de ir para uma prisão de verdade, eu viesse para cá. Quando eu era criança, seu cabelo castanho chegava até a cintura. Durante o julgamento ela o cortou. Então ele ficou grisalho. Agora era só um coque branco do tamanho de uma touca.

"Receptor conectado?", perguntou Abnesti.

"Positivo", respondi.

"Tudo bem se incrementarmos seus centros de linguagem?", ele perguntou.

"Tudo bem", respondi.

"Heather, está me ouvindo?", disse ele.

"Bom dia!", disse Heather.

"Receptor conectado?", ele perguntou.

"Positivo", disse Heather.

Abnesti usou seu controle remoto.

O Darkenfloxx™ começou a fluir. Logo Heather estava chorando baixinho. Em seguida estava de pé andando de um lado para o outro. Logo chorava aos soluços. Um pouco histericamente, até.

"Não gosto disso", disse ela, numa voz trêmula.

Então vomitou no cesto de lixo.

"Fale, Jeff", Abnesti me disse. "Fale bastante, fale em detalhes. Vamos fazer disso uma coisa útil, está bem?"

Tudo no meu receptor dava a impressão de ser Grau A. De repente eu estava melosamente poético. Melosamente poético em relação ao que Heather estava fazendo e melosamente poético em relação aos meus sentimentos diante do que ela estava fazendo. Basicamente, o que eu estava sentindo era: Todo ser humano nasce de homem e mulher. Todo ser humano, ao nascer, é, ou tem o potencial para ser, amado por sua mãe e seu pai. Daí decorre que todo ser humano é digno de amor. Enquanto eu assistia ao sofrimento de Heather, uma grande ternura inundou meu corpo, uma ternura difícil de distinguir de uma espécie de vasta náusea existencial; isto é, por que criaturas tão lindas e amadas são convertidas em escravas de tanta dor? Heather se apresentava como um feixe de receptores de dor. Sua mente era fluida, e podia ser arruinada (pela dor, pela tristeza). Por quê? Por que ela tinha sido feita daquele jeito? Por que tão frágil? Pobre criança, eu estava pensando, pobre menina. Quem te amou? Quem te ama?

"Aguente firme aí, Jeff", disse Abnesti. "Verlaine! O que você acha? Algum vestígio de amor romântico no Comentário Verbal de Jeff?"

"Eu diria que não", disse Verlaine pelo sistema de som. "O que há aqui é simplesmente uma boa dose de sentimento humano básico."

"Excelente", disse Abnesti. "Quanto tempo resta?"

"Dois minutos", respondeu Verlaine.

O que veio em seguida foi muito difícil de assistir. Sob a influência do Verbaluce™, do VeriTalk™ e do ChatEase™, também foi impossível para mim deixar de narrar.

Em cada Sala de Trabalho havia um sofá, uma escrivaninha e uma cadeira, todos, de propósito, impossíveis de desmontar. Heather agora começava a desmontar sua cadeira impossível de desmontar. Seu rosto era uma máscara de fúria. Ela batia com a cabeça na parede. Como um prodígio cheio de ira, Heather, amada de alguém, conseguiu, em sua grande fúria alimentada pela tristeza, desmontar a cadeira enquanto continuava a bater a cabeça contra a parede.

"Meu Deus", disse Verlaine.

70

"Ânimo, Verlaine", disse Abnesti. "Jeff, pare de chorar. Ao contrário do que você possa pensar, não há muitos dados num choro. Use suas palavras. Não deixe que isso seja em vão." Usei minhas palavras. Falei pelos cotovelos, fui minucioso. Descrevi e redescrevi o que estava sentindo ao observar Heather fazer o que agora ela estava começando a fazer, com intensidade, quase com beleza, a seu rosto e sua cabeça com uma das pernas da cadeira.

Em defesa de Abnesti, devo dizer que ele próprio também não estava se sentindo muito bem: tinha a respiração ofegante, as faces afogueadas, enquanto tamborilava sem parar sobre a tela de seu iMac com uma caneta, o que costumava fazer quando estava tenso.

"Tempo encerrado", disse por fim, e cortou o Darkenfloxx™ com seu controle remoto. "Merda. Entre lá, Verlaine. Depressa."

Verlaine entrou correndo na Sala Pequena de Trabalho 2.

"Fale comigo, princesa", disse Abnesti.

Verlaine verificou o pulso de Heather, então ergueu as mãos, palmas para cima, de tal maneira que ficou parecendo Jesus, só que chocado em vez de beatífico, e além disso com os óculos pousados no topo da cabeça.

"Está *brincando* comigo?", perguntou Abnesti.

"E agora?", perguntou Verlaine. "O que é que eu..."

"Você está me sacaneando, porra?", disse Abnesti.

Abnesti saltou da cadeira, me empurrou para abrir caminho e voou porta afora na direção da Sala Pequena de Trabalho 2.

VIII

Retornei ao meu Domínio.

Às três, Verlaine chamou pelo sistema de som.

"Jeff", disse ele, "por favor volte para a Cabeça da Aranha."
Voltei para a Cabeça da Aranha. "Lamentamos que você tenha sido obrigado a ver aquilo, Jeff", disse Abnesti.

"Aquilo foi inesperado", disse Verlaine.

"Inesperado e infeliz", disse Abnesti. "E desculpe por tê-lo empurrado."

"Ela está morta?", perguntei.

"Bem, ela não está em sua melhor forma", disse Verlaine.

"Escute, Jeff, essas coisas acontecem", disse Abnesti. "Isto aqui é ciência. Na ciência, exploramos o desconhecido. Era desconhecido o que cinco minutos de Darkenfloxx™ causariam à Heather. Agora sabemos. Outra coisa que sabemos, de acordo com a avaliação que o Verlaine fez do teu comentário, é que você de fato não abriga nenhum sentimento romântico residual pela Heather. Isso é uma grande coisa, Jeff. Uma lanterna de esperança num momento triste para todos. Mesmo ao ver a Heather, por assim dizer, indo a pique com seu barco, você permaneceu totalmente firme em termos de não voltar a amá-la romanticamente. Meu palpite é que a reação do ComProt vai ser do tipo: 'Uau, Utica está na dianteira em termos de produzir estupendos novos dados sobre a ED289/290'."

Fez-se silêncio na Cabeça da Aranha.

"Verlaine, pode ir", disse Abnesti. "Vá fazer sua parte. Deixe as coisas preparadas."

Verlaine saiu.

"Você acha que eu gostei daquilo?", perguntou Abnesti.

"Não parece ter gostado", respondi.

"Bom, e não gostei mesmo", disse Abnesti. "Odiei. Sou uma pessoa. Tenho sentimentos. Ainda assim, deixando de lado a tristeza, foi bom. Vocês se saíram muito bem em tudo. Todos nos saímos muito bem. A Heather, em especial, foi maravilhosa. Tiro o chapéu para ela. Vamos simplesmente... vamos levar essa coisa até o fim, está bem? Vamos completá-la. Completar a próxima parte do nosso Teste de Confirmação."

Na Sala Pequena de Trabalho 4 entrou Rachel.

IX

"Vamos Darkenfloxxar™ a Rachel agora?", perguntei.

"Pense só, Jeff", disse Abnesti. "Como é que podemos saber que você não ama nem a Rachel nem a Heather se só temos dados referentes à sua reação ao que aconteceu agora há pouco com a Heather? Use a cabeça. Você não é um cientista, mas Deus sabe que trabalha com cientistas o dia todo. Receptor conectado?"

Eu não disse "Positivo".

"Qual é o problema, Jeff?", perguntou Abnesti.

"Não quero matar a Rachel", respondi.

"E quem quer?", perguntou Abnesti. "Eu quero? Você quer, Verlaine?"

"Não", disse Verlaine pelo sistema de som.

"Jeff, talvez você esteja se preocupando em excesso com isso", disse Abnesti. "É possível que o Darkenfloxx™ mate a Rachel? Claro. Temos o precedente da Heather. Por outro lado, a Rachel pode ser mais forte. Ela parece um pouco maior."

"Na verdade ela é um pouco menor", disse Verlaine.

"Bem, pode ser que ela seja mais forte", disse Abnesti.

"Vamos ajustar a dosagem dela de acordo com o peso", disse Verlaine. "Portanto..."

"Obrigado, Verlaine", disse Abnesti. "Obrigado por esclarecer."

"Quem sabe você mostra o dossiê para ele", disse Verlaine.

Abnesti me estendeu o dossiê de Rachel.

Verlaine entrou de volta na sala.

"Leia e chore", disse ele.

De acordo com o dossiê de Rachel, ela tinha roubado joias da mãe, um carro do pai, dinheiro da irmã, estátuas da igreja que frequentavam. Tinha sido presa por causa de drogas. Depois de quatro vezes na cadeia por esse motivo, ela foi para a reabilitação das drogas, depois para a reabilitação da prostituição, depois para o que chamam de desintoxicação da reabilitação, para pessoas que passaram tantas vezes pela reabilitação que se tornaram imunes. Mas ela devia estar imune à desintoxicação da reabilitação também, porque depois disso tudo veio sua proeza maior: um triplo homicídio — seu traficante, a irmã do traficante e o namorado da irmã do traficante.

Ler aquilo fez com que eu achasse meio engraçado ter trepado com ela e me apaixonado.

Mas ainda assim eu não queria matá-la.

"Jeff", disse Abnesti, "eu sei que você trabalhou isso um bocado com a sra. Lacey. Esse negócio de matar e tudo mais. Mas isto agora não é você. Somos nós."

"Não somos nem mesmo nós", disse Verlaine. "É a ciência."

"Os imperativos da ciência", disse Abnesti. "Mais os preceitos."

"Às vezes a ciência é um nojo", disse Verlaine.

"Por um lado, Jeff", disse Abnesti, "alguns minutos desagradáveis para a Heather..."

"Rachel", corrigiu Verlaine.

"Alguns minutos desagradáveis para a Rachel", disse Abnesti, "anos de alívio para literalmente dezenas de milhares de pessoas que amam demais ou de menos."

"Faça as contas, Jeff", disse Verlaine.

"Ser bom em ações miúdas é fácil", disse Abnesti. "Fazer as enormes coisas boas, isso é mais difícil."

"Receptor conectado?", perguntou Verlaine. "Jeff?"

Eu não disse "Positivo".

"Porra, agora chega", disse Abnesti. "Verlaine, como chama aquele outro? Aquele que, quando eu dou uma ordem, ele obedece."

"Docilryde™", respondeu Verlaine.

"Tem Docilryde™ no MobiPak™ dele?", perguntou Abnesti.

"Tem Docilryde™ em todos os MobiPak™", disse Verlaine.

"E ele precisa dizer 'Positivo'?", perguntou Abnesti.

"Docilryde™ é um Classe C, portanto...", disse Verlaine.

"Ouça, isso, pra mim, não faz o menor sentido", disse Abnesti. "Pra que serve uma droga de obediência se precisamos de permissão pra usá-la?"

"Nós só precisamos de um alvará", disse Verlaine.

"Quanto tempo demora essa merda?", perguntou Abnesti.

"A gente manda um fax para Albany, eles mandam um fax de volta", respondeu Verlaine.

"Então vamos, vamos, não há tempo a perder", disse Abnesti, e eles saíram, me deixando sozinho na Cabeça da Aranha.

X

Aquilo era triste. Me dava uma sensação triste de derrota pensar que logo eles estariam de volta e me dariam Docilryde™, e eu diria "Positivo", sorrindo docilmente do jeito que uma pessoa sorri quando lhe dão Docilryde™, e então o Darkenfloxx™ inundaria Rachel, e eu começaria a descrever, daquele jeito rápido e robótico que a gente tem de descrever quando está sob o efeito de Verbaluce™/VeriTalk™/ChatEase™, as coisas que Rachel começaria, a essa altura, a fazer consigo mesma.

Era como se, para voltar a ser um assassino, a única coisa que eu precisasse fazer era ficar sentado ali e esperar. O que era um sapo difícil de engolir, depois de todo o meu trabalho com a sra. Lacey. "Violência extinta, raiva nunca mais", ela me obrigava a repetir sem parar. Depois me fazia começar uma Rememoração Detalhada da minha noite fatídica. Eu tinha dezenove anos. Mike Appel tinha dezessete. Tínhamos a vida pela frente. A noite inteira ele tinha me atazanado. Ele era menor, mais novo, menos popular. De repente estávamos na frente do Frizzy's, rolando pelo chão. Ele era rápido. Era maldoso. Eu estava perdendo. Não podia acreditar. Eu era maior, mais velho, e mesmo assim estava perdendo? Em volta, assistindo, estava praticamente todo mundo que a gente conhecia. Então ele me derrubou de costas. Alguém riu. Alguém disse: "Xii, coitado do Jeff". Perto havia um tijolo. Eu o apanhei e acertei a cabeça do Mike. Então fiquei por cima dele.

Mike capitulou. Isto é, deitado de costas ali, couro cabeludo sangrando, ele capitulou, ao me lançar um certo olhar, como se dissesse: Cara, qual é, não estamos levando isto tão a sério, estamos?

Estávamos.

Eu estava.

Nem mesmo sei por que eu fiz aquilo.

Era como se, com a bebida e o fato de ser um garoto e de estar quase perdendo, eu tivesse recebido uma dose de algo chamado, digamos, TemperBerst ou algo assim.

InstaRaje.

LifeRooner.

"Oi, pessoal!", disse Rachel. "Qual vai ser a de hoje?"

Lá estava sua cabeça frágil, seu rosto intacto, uma das mãos erguida para coçar uma bochecha, pernas balançando de nervosismo, saia de camponesa balançando também, os pés calçados de tamancos cruzados sob a bainha.

Logo tudo isso seria apenas uma massa informe no chão.

Eu tinha que pensar.

Por que eles iam Darkenfloxxar™ Rachel? Para poder ouvir minha descrição da coisa. Se eu não estivesse ali para descrevê-la, eles não fariam nada. O que eu poderia fazer para não estar ali? Eu podia ir embora. Como eu poderia ir embora? Só havia uma porta para sair da Cabeça da Aranha, que era trancada automaticamente, e do outro lado estava Barry ou Hans, com aquele bastão elétrico chamado DisciStick™. E se eu esperasse Abnesti entrar, lhe desse um empurrão, passasse correndo por Barry ou Hans e tentasse atravessar a Porta Principal?

Alguma arma na Cabeça da Aranha? Não. Só a caneca de aniversário de Abnesti, um par de tênis de corrida, um tubo de pastilhas para o hálito, seu controle remoto.

Seu controle remoto?

Que idiota. Aquilo supostamente deveria estar no cinto dele o tempo todo. Caso contrário, um de nós poderia se servir de qualquer coisa que encontrasse, via Registro de Estoque, em nossos MobiPaks™: uma dose de Bonviv™, talvez, um pouco de BlissTyme™, algum SpeedErUp™.

Um pouco de Darkenfloxx™.

Deus do céu. Estava aí um jeito de escapar.

Assustador, porém.

Justo nesse momento, na Sala Pequena de Trabalho 4, Rachel, provavelmente pensando que a Cabeça da Aranha estava vazia, se levantou e fez uma dancinha alegre arrastando os pés, como se fosse uma animada garota da roça que acabou de ver, da porta de casa, o capiau por quem está apaixonada chegando pela estrada com um bezerro ou coisa que o valha debaixo do braço.

Por que ela estava dançando? Nenhum motivo.

Só por estar viva, suponho.

O tempo era curto.

O controle remoto estava bem etiquetado.

O bom e velho Verlaine.

Usei-o, joguei-o pela grade do aquecimento central, para não correr o risco de mudar de ideia, e então fiquei ali parado, pensando: Não acredito que eu fiz isso.

Meu MobiPak™ vibrou.

O Darkenfloxx™ fluiu.

Então veio o horror: pior do que jamais teria imaginado. Num instante meu braço estava enfiado um quilômetro dentro do duto de aquecimento. Em seguida eu cambaleei pela Cabeça da Aranha, à procura de alguma coisa, qualquer coisa. No fim, veja só como a coisa ficou ruim: usei a quina da escrivaninha.

Como é a morte?

Num instante, você não tem limites.

Flutuando, atravessei o telhado.

E fiquei pairando lá em cima, olhando para baixo. Lá estava Rogan, examinando diante do espelho sua tatuagem no pescoço. Lá estava Keith, de cueca, fazendo uma sequência de exercícios. Lá estava Ned Riley, lá estava B. Troper, lá estavam Gail Orley, Stefan DeWitt, todos assassinos, todos maus, suponho, ainda que, naquele instante, eu visse as coisas de outro modo. Ao nascer, eles tinham sido incumbidos por Deus de se tornar fracassados completos. Tinham escolhido isso? Foi culpa deles, quando escorregaram do útero materno? Tinham ansiado, ainda cobertos em sangue placentário, tornar-se malfeitores, forças das trevas, exterminadores de vidas? Naquele primeiro instante sagrado de respiração/consciência (mãos minúsculas se fechando e se abrindo), será que a mais profunda esperança deles era privar (mediante revólver, faca ou tijolo) alguma família inocente de um de seus membros? Não; e no entanto seus destinos tortos tinham permanecido dormentes dentro deles, como sementes à espera de água e luz para fazer brotar as flores mais violentas e venenosas, as referidas água e luz sendo na verdade a necessária combinação de tendência neurológica com estímulo do meio que os transformaria (*nos* transformaria!) em refugos da terra, assassinos, e nos emporcalharia com a transgressão suprema, indelével.

Uau, pensei, havia algum Verbaluce™ naquele receptor ou o quê?

Mas não.

Aquilo tudo era eu agora.

Fiquei enroscado, me vi preso numa calha de telhado, agachado lá como uma gárgula etérea. Eu estava ali mas também em toda parte. Podia ver tudo: um bolo de folhas na calha sob meu pé transparente; Mamãe, pobre Mamãe, em casa em Rochester, escovando os azulejos do banheiro, tentando se animar cantarolando baixinho; um cervo perto do lixão, subitamente alerta à minha presença espectral; a mãe de Mike Appel, também em Rochester, um esquelético e aflito traço de "visto" ocupando uma faixa estreita da cama de Mike; Rachel ali embaixo na Sala Pequena de Trabalho 4, com o olhar atraído para a parede de vidro pelos sons da minha morte; Abnesti e Verlaine entrando às pressas na Cabeça da Aranha; Verlaine se ajoelhando para começar os procedimentos de ressuscitação cardiorrespiratória.

Caía a noite. Os pássaros estavam cantando. Os pássaros estavam, me ocorreu dizer, realizando uma desvairada celebração do fim do dia. Estavam se manifestando como coloridas terminações nervosas da terra, pois a descida do sol os incitava à atividade, enchendo-os um a um com o néctar da vida, o néctar da vida passando então para o mundo, por meio de cada bico, na melodia característica daquele pássaro, a qual era, por sua vez, um acidente resultante de forma de bico, forma de garganta, uma configuração torácica, química cerebral; alguns pássaros abençoados na voz, outros amaldiçoados; alguns esganiçados, outros arrebatadores.

De algum lugar, alguma coisa perguntou afavelmente: *Você gostaria de voltar? Depende totalmente de você. Seu corpo parece recuperável.*

Não, pensei, não, obrigado. Já tive o bastante.

Minha única aflição era minha mãe. Eu tinha esperança de que algum dia, em algum lugar melhor, eu teria a chance de lhe explicar, e talvez ela sentisse orgulho de mim, uma última vez, depois de todos esses anos.

Através da mata, como que de comum acordo, pássaros deixaram suas árvores e arremeteram para cima. Juntei-me a eles, voei no meio deles, não me identificaram como algo estranho a eles, e eu fiquei feliz, muito feliz, porque pela primeira vez em anos, e para todo o sempre, eu não tinha matado, e nunca mataria.

Exortação

MEMORANDO

DATA: *6 de abril*
PARA: *Equipe*
DE: *Todd Birnie, Diretor de Divisão*
RE: *Estatísticas do Desempenho de Março*

Eu não gostaria de caracterizar isto como um apelo, embora talvez comece a soar como um (!). O fato é que temos um serviço a fazer, um serviço que concordamos tacitamente em fazer (vocês sacaram seu último salário? O meu eu garanto que saquei, hahaha). Concordamos também — para dar um passo adiante aqui — em fazer o serviço bem-feito. Agora, todos sabemos que um jeito de fazer um serviço porco é ser negativo com relação a ele. Vamos dizer que precisamos limpar uma prateleira. Vamos usar esse exemplo. Se gastarmos a hora que antecede a limpeza da prateleira discutindo o processo de limpeza da prateleira, resmungando, temendo o trabalho antecipadamente, investigando as sutilezas da limpeza da prateleira, sei lá mais o quê, então o que acontece é que tornamos o processo de limpar a prateleira *mais difícil do que ele de fato é.* Todos sabemos muito bem que aquela "prateleira" vai ser limpa, dado o clima vigente, ou por você ou pelo sujeito que tomar o seu lugar e o seu salário, de modo que a questão se resume ao seguinte: Eu quero limpá-la alegre ou quero limpá-la triste? O que seria mais eficaz para mim? O que serviria de modo mais eficiente ao meu propósito? Qual é o meu propósito? Ser pago. Como faço para realizar esse propósito de modo mais eficiente? Limpando bem e depressa aquela prateleira. E que estado mental me ajuda a limpar bem e depressa aquela prateleira? A resposta por acaso é: Negativo? Um estado mental negativo? Vocês sabem muito bem que não. Então o recado deste memorando é: Positivo. O estado mental positivo vai ajudar vocês a limpar bem e depressa aquela prateleira, realizando assim seu propósito de serem pagos.

O que estou dizendo aqui? Estou dizendo para vocês assobiarem enquanto trabalham? Talvez esteja. Vamos considerar a hipótese de ter que erguer a pesada carcaça de uma baleia morta. (Desculpem essa história de prateleira/baleia, é que acabamos de voltar de nossa casa em Reston Island, onde havia: 1) uma porção de prateleiras sujas e 2) sim, acreditem ou não, uma baleia de verdade, morta e apodrecendo, com a qual Timmy, Vance e eu acabamos nos envolvendo em termos de limpeza.) Então vamos dizer que vocês estejam encarregados, vocês e alguns de seus colegas, de erguer a carcaça pesada de uma baleia morta e colocá-la na carroceria de uma carreta. Ora, todos sabemos que isso é difícil de fazer. E com uma atitude negativa seria ainda mais difícil. O que descobrimos — Timmy, Vance e eu — é que, mesmo com uma atitude meramente neutra, estamos falando de uma tarefa muito difícil. Tentamos erguer aquela baleia enquanto estávamos nos sentindo simplesmente neutros, Timmy,

Vance e eu, com uma dúzia de outros camaradas, e não teve jeito, aquela baleia não saía do lugar, até que de repente um sujeito, um ex-fuzileiro, disse que o que precisávamos era mentalizar o problema, e nos reuniu num pequeno círculo, e cantamos um certo refrão. Ficamos "psicologicamente motivados". Sabíamos, para estender a analogia que fiz acima, que tínhamos um serviço a fazer, e ficamos como que excitados em relação àquilo, e decidimos fazê-lo com uma atitude positiva, e vou contar para vocês, aconteceu alguma coisa ali, foi divertido, foi divertido quando aquela baleia se ergueu no ar, ajudada por nós e por algumas grandes correias que o fuzileiro tinha em sua van, e devo dizer que erguer aquela baleia putrefata e colocá-la na carroceria da carreta com aquele grupo de completos desconhecidos foi *o ponto alto da nossa viagem.*

Então o que é que estou dizendo? Estou dizendo (e dizendo com veemência, porque é importante): Vamos tentar, se possível, diminuir os resmungos e as dúvidas com relação às tarefas que às vezes precisamos cumprir aqui e que talvez não pareçam muito agradáveis à primeira vista. Estou dizendo que devemos tentar não esmiuçar cada mínima coisa que fazemos para saber se é boa/má/indiferente em última instância em termos morais. O tempo para isso já passou há muito. Espero que cada um de nós tenha tido essa conversa interior quase um ano atrás, quando esta coisa toda começou. Enveredamos por uma trilha, e tendo enveredado por essa trilha pelas melhores razões (tal como decidimos um ano atrás), não seria uma espécie de suicídio deixar que nosso avanço por essa trilha seja impedido por uma neurótica reconsideração tardia? Algum de vocês já brandiu alguma vez uma marreta? Sei que alguns de vocês já brandiram. Sei que alguns de vocês usaram a marreta quando derrubamos o pátio do Rick. Não é divertido quando a gente não se detém, mas simplesmente golpeia sem parar, deixando que a gravidade ajude? Companheiros, o que estou dizendo é: deixem a gravidade ajudá-los aqui, em nossa situação de trabalho. Golpeiem, entreguem-se às sensações naturais que eu vi de tempos em tempos produzir tanta energia em tantos de vocês, em termos de executar suas tarefas com vigor e sem reconsiderações tardias nem ruminações neuróticas. Lembram da semana recordista de Andy em outubro, quando ele dobrou seu número habitual de unidades? Independentemente de qualquer coisa, esquecendo por um momento todos os pensamentos piegas sobre certo/errado etc. etc., não foi uma coisa linda de ver? Uma coisa linda em si mesma? Acho que, se a gente olhar bem dentro de si, não é que não ficamos todos com um pouco de inveja? Deus do céu, ele estava mesmo descendo a marreta e dava para ver a alegria vigorosa em seu rosto cada vez que ele passava correndo pela gente para pegar mais toalhas de papel. E nós ali parados, simplesmente, como se disséssemos: Uau, Andy, o que deu em você? E ninguém pode questionar os números dele. Estão ali na nossa Sala do Café para quem quiser ver, erguendo-se por cima dos números do resto de nós, e embora Andy não tenha conseguido dobrar aqueles números nos meses que vieram depois de outubro, 1) ninguém o condena por isso, já que aqueles números foram prodigiosos, e 2) acredito que, mesmo que Andy jamais chegue a dobrar aqueles números, ainda assim, em algum lugar do seu coração, ele deve guardar com carinho a lembrança daquela energia magnífica que fluiu dele naquele outubro memorável. Honestamente não acho que Andy poderia ter tido um outubro assim se ficasse com frescuras ou alimentando ideias neuróticas de dúvida ou tendências reconsiderativas, vocês acham que poderia? Eu acho que não. Andy parecia totalmente concentrado, totalmente desprendido de si mesmo, dava para ver na cara dele. Será que era por causa do novo filho? (Se for assim, Janice deveria ter um filho por semana, hahaha.)

Seja como for, outubro foi o modo como Andy ingressou numa espécie de Hall da Fama, ao menos na minha cabeça, e desde então ficou isento de qualquer monitoramento rigoroso de seus números, pelo menos de minha parte. Não importa o quanto ele fique abatido e retraído (e acho que todos notamos que ele ficou bem abatido e retraído desde outubro), vocês não vão me ver monitorando de perto os números dele, embora eu não possa falar pelos outros, talvez outros estejam monitorando essa preocupante queda dos números de Andy, embora eu tenha a sincera esperança de que não estejam fazendo isso, pois não seria justo, e acreditem: se eu ouvir qualquer rumor a esse respeito, vou fazer com que Andy fique sabendo e, se Andy estiver deprimido demais para me ouvir, vou falar com Janice na casa deles.

E por que será que Andy está tão abatido? Meu palpite é que ele está sendo neurótico, e reconsiderando suas ações de outubro — e uau, não seria uma pena, não seria um desperdício, Andy ter completado aquele outubro de recorde histórico para depois ficar chorando pelos cantos? Esse chororô está mudando alguma coisa? Por acaso as ações que Andy desempenhou, em termos das tarefas que lhe dei para fazer na Sala 6, estão sendo desfeitas pelo seu chororô, por acaso os números dele na Sala de Café estão rolando milagrosamente para baixo, por acaso as pessoas estão subitamente saindo da Sala 6 sentindo-se perfeitamente bem de novo? Ora, sabemos muito bem que não. Ninguém está saindo da Sala 6 sentindo-se perfeitamente bem. Mesmo vocês, rapazes, que fazem o que precisa ser feito na Sala 6, mesmo vocês não saem de lá se sentindo superbem, sei disso, eu com certeza fiz coisas na Sala 6 que não me deixaram me sentindo uma maravilha, acreditem, ninguém está querendo negar que a Sala 6 pode ser um pesadelo, é trabalho duro o que fazemos lá. Mas o pessoal acima de nós, que determina nossas obrigações, parece considerar que o que fazemos na Sala 6, além de ser *duro*, é também *importante*, razão pela qual, suspeito eu, eles começaram a examinar tão de perto os nossos números. E confiem em mim, se vocês querem que a Sala 6 seja um pesadelo pior do que já é, então passem a se lamuriar antes, durante e depois, assim a coisa vai feder de verdade e, mais que isso, com toda essa lamúria seus números vão despencar ainda mais, o que — adivinhem — não pode acontecer. No Encontro Seccional me disseram sem rodeios que nossos números não podem baixar nem um pouco mais. Eu respondi (e isso demandou colhões, podem crer, dada a atmosfera no Encontro Seccional): Vejam, meus rapazes estão cansados, é um trabalho muito duro o que a gente faz, em termos tanto físicos como psicológicos. E a essa altura, no Encontro Seccional, acreditem, o silêncio foi ensurdecedor. Estou falando sério: ensurdecedor. E os olhares que recebi não foram nada bons. E fui lembrado, em palavras inequívocas, por Hugh Blanchert em pessoa, de que nossos números não podem baixar. E me pediram para lembrar a vocês — para lembrar a todos nós, eu incluído — que se formos incapazes de limpar a "prateleira" que nos foi designada, não apenas outras pessoas serão trazidas para limpar essa "prateleira", mas nós próprios podemos nos ver nessa "prateleira", podemos ser essa "prateleira", com outras pessoas se empenhando, cheias de energia positiva, para se livrar de nós. E nessa hora acho que vocês podem imaginar o quanto vão se arrepender, o arrependimento estará estampado no rosto de vocês, tal como às vezes testemunhamos, na Sala 6, aquele arrependimento no rosto das "prateleiras" quando elas são "limpas", portanto estou lhes pedindo, à queima-roupa, para que tentem dar o máximo de si para não acabar virando uma "prateleira", a qual nós, seus antigos colegas, não teremos escolha senão limpar limpar limpar usando toda a nossa energia positiva, sem olhar para trás, na Sala 6.

Tudo isso foi deixado muito claro para mim no Encontro Seccional e agora estou tentando deixar claro para vocês.

Bom, eu me estendi demais, mas por favor venham à minha sala, qualquer um que esteja com dúvidas, dúvidas quanto ao que fazemos, e eu lhes mostro fotos daquela incrível baleia que meus filhos e eu erguemos com nossa boa energia positiva. E, evidentemente, essa informação, isto é, a informação de que vocês estão com dúvidas, e que vieram me ver em minha sala, não irá além das paredes da minha sala, embora eu tenha certeza de que nem preciso dizer isso, para nenhum de vocês, que me conhecem há tantos anos.

Tudo vai ficar bem e tudo vai ficar bem etc. etc.

Todd

Al Roosten

Al Roosten ficou esperando atrás do biombo de papel. Se estava nervoso? Bem, estava um pouco nervoso. Embora provavelmente muito menos do que a maioria das pessoas estaria. A maioria provavelmente estaria se mijando toda a esta altura. Ele estava se mijando? Ainda não. Se bem que, uau, entendia muito bem que alguém pudesse chegar a...

"Vamos dar a partida!", gritou a MC, uma loura com jeito de líder de torcida, velha demais para usar tranças, mas cujas tranças balançavam de um lado para o outro como se, por algum motivo, ela fizesse de conta que estava fazendo aeróbica. "Estamos aqui hoje para combater as drogas ou não? Claro que estamos! Nós, empresários e executivos, aprovamos que nossos filhos usem drogas? De jeito nenhum, nem pensar, somos totalmente contra! Nós próprios usamos drogas? Meninos, aqueles de vocês que estão aqui, acreditem quando digo que não usamos, nunca, jamais! Porque, na condição de alguém que trabalha com feng shui, garanto que não haveria meio de fazer meu feng shui se eu estivesse chapada de crack, porque meu ofício consiste em discernir campos de energia, e se você está noiado de crack, ou maconhado, ou mesmo se tomou café demais, o campo de energia fica todo desarranjado, acreditem, eu sei, eu fumava!"

Era um leilão matinal de Celebridades Locais, entendendo-se por Celebridade Local qualquer babaca estúpido o suficiente para responder sim quando a Câmara de Comércio convidava.

"Então é por isso que estamos levantando fundos para o GaleraLongeDoCrack e seus palhaços antidrogas!", gritou a loura. "Como o sr. SaiDessa, que, em sua apresentação em sala de aula, com um balão de ar moldável, faz aquela coisa que começa como um cachimbo de crack e termina como um caixão de defunto, o que eu acho muito verdadeiro!"

Larry Donfrey, da Larry Donfrey Imóveis, estava em pé ali do lado, de calção de banho. Donfrey era um bom sujeito. Bom, mas limitado. Não era lá muito brilhante. Sempre bronzeado. Era atraente, o Donfrey? Bonitinho? Será que os participantes do leilão considerariam Donfrey mais bonito que ele, Al Roosten? Ah, como iria saber? Ele por acaso gostava de marmanjos? Era algum tipo de perito em julgar os atrativos dos marmanjos?

Não, ele não gostava de marmanjos, nunca tinha gostado.

Sim, é verdade que houve aquele período no final do primeiro grau em que ele ficou preocupado com a possibilidade de, talvez, gostar de rapazes, e perdeu várias vezes nas lutas livres porque, em vez de se concentrar nos próprios golpes, ficava se perguntando mentalmente se seu negócio estava doendo dentro da sunga porque surgia uma leve pré-ereção ou porque a glande estava escapando pela abertura de ventilação, e uma vez ele constatou quase com certeza a pré-ereção quando viu seu rosto espremido contra o abdome rígido de Tom Reed, que cheirava a leite de coco, mas, depois da luta, atormentado pelo assunto no bosque, ele se deu conta de que às vezes tinha uma leve pré-ereção similar quando o gato sentava em seu colo sob um raio de sol, o que provava que ele não tinha atração sexual por Tom Reed, já que sabia com certeza que não tinha atração sexual alguma pelo gato, já que nunca sequer ouvira uma coisa dessas ser descrita como possível. E daquele dia em diante, toda vez que se pegava matutando se gostava ou não de rapazes, ele sempre se lembrava de quando tinha caminhado exultante pelo bosque depois da constatação libertadora de que não tinha mais atração por rapazes do que por gatos, chutando alegremente os cogumelos numa sensação de tremendo alívio.

Começou uma espécie de música, consistindo numa série de batidas ruidosas e graves pontuadas por um burburinho de gemidos femininos e algo que soava como uma porta rangente, e Larry Donfrey avançou pela passarela sob repentinos gritos e assobios.

Que diabo?, pensou Roosten. Gritos? Assobios? Será que ele provocaria gritos? Assobios? Duvidava. Quem gritaria/assobiaria para o sujeito redondo e careca vestido de gondoleiro? Se ele fosse mulher, gritaria/assobiaria para Donfrey, o sujeito com a bunda firme e braços musculosos e bronzeados.

A loura deu a deixa para Roosten ao apontar para ele enquanto marchava sem sair do lugar.

Oh meu Deus, oh meu Deus.

Roosten saiu cautelosamente de trás do biombo de papel. Ninguém assobiou. Começou a percorrer a passarela. Ninguém gritou. A plateia produzia o som que uma plateia produz quando tenta não rir. Ele tentou sorrir de modo sexy, mas sua boca estava seca demais. Provavelmente seus dentes amarelos estavam aparecendo, assim como o lugar em que as gengivas se expunham.

Congelado sob a luz crua do holofote, ele parecia tão louco, velho e desamparado, e ainda assim levemente arrogante, que um intenso desconforto baixou sobre o salão, um desconforto que, se aquilo não fosse um evento filantrópico, poderia ter provocado gritos de insulto ou arremessos de objetos, mas no caso suscitou uma espécie de murmúrio de piedade vindo das proximidades do bufê de saladas.

Roosten se animou e esboçou um meio aceno aliviado na direção do murmúrio, e a falta de jeito do gesto — o modo como revelou inadvertidamente o quanto ele estava apavorado — acabou por conquistar a multidão que segundos antes estava a ponto de zombar dele, e alguém mais suspirou de compaixão, e Roosten sorriu com um grande esgar de maluco, o que causou uma onda de aplausos piedosos.

Roosten estava surdo à caridade daquilo. Puxa, que cascata de aplausos e aclamações. Ele devia fazer uma reverência. Faria. Fez. Isso causou uma intensificação dos aplausos e gritos, que, aos seus ouvidos, eram agora pelo menos iguais em volume aos aplausos e gritos para Donfrey. Além do mais, Donfrey tinha desfilado praticamente nu. O que significava que ele tecnicamente estava derrotando Donfrey, já que este precisara se despir para conseguir um empate com ele, Al Roosten.

Hahaha, pobre Donfrey! Correndo de cueca de um lado ao outro para nada.

A loura jogou uma rede de apanhar borboletas sobre a cabeça de Roosten e ele foi se juntar a Donfrey na cela de papelão.

Agora que tinha arrasado Donfrey, ele sentiu uma onda de simpatia por ele. O bom e velho Donfrey. Ele e Donfrey eram os dois pilares da comunidade empresarial local. Não conhecia Donfrey muito bem. Apenas o admirava de longe. Assim como Donfrey o admirava de longe. Uma vez, todo o clã Donfrey entrou em fila indiana na loja de Roosten, Bygone Daze. A esposa de Donfrey estava linda: belas pernas, costas delgadas, cabelo comprido. A gente olhava para ela e não conseguia desviar os olhos. Os filhos de Donfrey também tinham uma aparência ótima, dois elfos andróginos discutindo educadamente alguma coisa, a história da Suprema Corte, quem sabe? Cada Celebridade tinha sua própria janela gradeada na cela de papelão. Donfrey agora saiu da sua e foi até a de Roosten. Que cortês. Que príncipe. Trocariam algumas palavras. A plateia enciumada se perguntaria o que é que os dois pilares estavam conversando em particular. Desculpem, mas não, o papo era entre pilares. A plebe ficava de fora.

Donfrey estava dizendo alguma coisa, mas a música era ruidosa e Roosten era meio surdo.

Roosten se inclinou para ouvir.

"Eu disse: Não se preocupe, Ed", Donfrey estava gritando. "Você foi ótimo. É sério. Não é o fim do mundo. Daqui a uma semana ninguém nem vai lembrar disso."

O quê? Que diabo? O que Donfrey estava querendo dizer? Que ele tinha se saído mal? Que tinha passado vergonha? Diante da cidade inteira? De jeito nenhum. Ele tinha arrasado. Por acaso Donfrey estava em outro planeta? Estava drogado? Drogado num evento antidrogas? E tinha acabado de chamá-lo de Ed?

Donfrey bem que podia lamber seu saco. Aquele picareta. Aquele esnobe. Tinha esquecido disso. Tinha esquecido que Donfrey era um picareta e um esnobe. Naquela vez que os Donfreys entraram na Bygone Daze, eles viraram imediatamente as costas e saíram, como se tivessem considerado as antiguidades de Roosten demasiado empoeiradas e de mau gosto para a casa Donfrey, literalmente uma mansão numa colina. E a mulher de Donfrey não era linda, Roosten de repente admitiu com honestidade; era pálida. Um pálido e arrogante rebotalho de gente. Quanto aos filhos de Donfrey — se aqueles pirralhos fossem dele? Ia dar uma zoada neles. Que tal des-elficar aqueles dois? Eram meninos ou meninas? Honestamente não dava para saber.

Ele mesmo não gostava de crianças. Nunca se casou. Tinha

os meninos, porém. Os meninos eram seus sobrinhos. Não tinham cara de elfos. *Au contraire.* Os meninos eram o contrário de elfos. Estavam mais para trolls, talvez. Ou então roceiros. Não, os meninos eram ótimos. E eram cem por cento meninos. E como. Talvez até demais. Não sabia dizer por que a irmã dele, Mag, insistia em levá-los ao Budgi-Cutz, já que o Budgi-Cutz fazia os meninos parecerem três versões desajeitadas da mesma cabeça redonda germânica, com as franjas retinhas na testa. Toda noite havia um torneio de grunhidos e luta livre no porão, com os meninos chamando uns aos outros de Franciscuzão ou Peidorrúncio até que algum deles batia a cabeça redonda em alguma coisa de metal e todos ajudavam o ferido a subir de volta, lágrimas escorrendo pelo rosto intumescido de lutadores, como três nazistas subitamente arrependidos...

Nazistas não. Deus do céu. Alemães. Vigorosos moços alemães pré-guerra. Saudáveis jovens Beethovens. Se bem que ele duvidava que o verdadeiro Beethoven tivesse alguma vez arrancado com as próprias mãos o suporte de livros de orações de um banco de igreja numa aposta com outro Beethoven, enquanto um terceiro Beethoven exibia orgulhosamente, num hinário, quatro torres de ranho endurecido que ele tinha acabado de...

Foi o divórcio. O divórcio tinha enlouquecido os meninos. Foi triste para Mag. No colégio, Al tinha sido o lutador popular e Mag tinha sido a garota corpulenta da ChristLife com uma grande paixão por Cristo. Eles tinham morado na fazenda de seus pais. Mas, por algum motivo, só Mag tinha virado uma caipira. Na penúltima série do colégio, ela começou a namorar Ken Glenn, igualmente rural, com orelhas do tamanho de pratos. A piada que circulava era de que eles tinham se casado vestidos de macacão. Houve também piadas sobre Mag e Ken se casarem numa igreja cheia de animais de curral. Se havia um casamento que todo mundo achava que iria durar, era aquele: dois desenxabidos rancheiros cristãos. Mas não. Ken tinha deixado Mag por outra rancheira...

Mag não era desenxabida. Era simples, tinha uma espécie de atitude simples, terra a terra... Era bonita. Era uma mulher bonita. Nela, tudo estava onde devia estar. Ela se portava bem. Exceto quando berrava com os meninos. Então seu rosto virava uma máscara vermelha retorcida. Dava para ver sua frustração por ser a única mulher divorciada em sua igreja extremamente conservadora, seu constrangimento por ter que se mudar para a casa do irmão, seu medo de que, se ele perdesse sua loja (como agora parecia quase certo que perderia), ela tivesse que deixar a escola e procurar um terceiro emprego. Na noite passada, ele a tinha encontrado na mesa da cozinha, depois de seu turno na Costco, no quinto sono em cima da apostila de enfermagem da faculdade comunitária. Uma enfermeira aos quarenta e cinco anos. Era para rir. Ele achava aquilo risível. Embora não achasse risível de verdade. Achava era admirável. Um esnobe como Donfrey talvez achasse risível. Um esnobe como Donfrey daria uma rápida olhada em Mag vestida com suas folgadas roupas de enfermeira e despacharia seus elfos mimados de volta para a estupenda mansão Donfrey, que recentemente tinha figurado na seção Estilo de Vida da...

Ah, mansão, mansão de merda. Por acaso a casa de Gandhi tinha a maior cama elástica ao ar livre de toda a região da tríplice fronteira Missouri/Kansas/Nebraska? Será que Jesus tinha uma pista de carrinho de controle remoto de oito mil metros quadrados, com montanhas a escalar e uma cidadezinha que se iluminava à noite?

Não na Bíblia dele.

Ahn? A cela de papelão estava agora repleta de Celebridades. Como isso tinha acontecido? Ele, pelo visto, tinha deixado escapar os desfiles na passarela de Max, da Max Auto, Ed Berden, do

Steak-n-Roll, e os gêmeos hippies bizarramente altos que tocavam o Coffee-Minded.

A loura agora estava em silêncio, de cabeça baixa, como se esperasse que sua profundidade baseada na experiência transbordasse para o sincero discurso de aplaudir de pé que a consolidaria de uma vez por todas como a pessoa mais sofrida do lugar.

"Pessoal, chegamos a nosso momento mais importante", disse ela, com brandura. "Que é nosso leilão. Que é manter silêncio. Sem vocês, pessoal, sabem de uma coisa? A Galera-LongeDoCrack não passaria de um punhado de sujeitos com sentimentos antidroga muito fortes, vestindo roupas esquisitas em suas próprias casas. Escrevam seus lances, alguém vai passar para recolhê-los. Depois, se você for o ganhador, será levado para almoçar com a Celebridade por quem fez a oferta."

Tinha acabado?

Parecia que sim.

Será que dava para sair de fininho?

Dava, se ele se abaixasse bem.

Abaixou-se bem e caiu fora enquanto a loura seguia com sua ladainha.

No vestiário adaptado, encontrou as roupas de Donfrey largadas sobre uma cadeira: calça plissada bem cara, bela camisa de seda. No chão estavam as chaves e a carteira de Donfrey.

Tinha que ser o Donfrey para emporcalhar assim um vestiário tão decente.

Ah, mas por que ficar irritado com Donfrey? Donfrey não lhe fizera nada. Só tinha feito um comentário, tentando ser simpático. Tentando ser caridoso. Com alguém inferior a ele.

Roosten deu um passo à frente e chutou a carteira. Uau, como ela deslizou. Foi parar bem embaixo das tábuas de uma arquibancada desmontável. Como um disco de hóquei. Lá estavam as chaves, agora sozinhas, realçando a ausência da carteira. Putz.

Poderia dizer que chutou sem querer a carteira para lá. O que era mais ou menos verdade. Não tinha pensado muito naquilo, para ser sincero. Simplesmente tinha sentido vontade de chutar e pronto. Era impulsivo desse jeito. Essa era uma das coisas boas dele. Era assim que tinha comprado a loja. A loja falida. Deu um chute nas chaves. Que diabo? Por que fez aquilo? Deslizaram ainda melhor que a carteira. Agora a carteira e as chaves estavam longe embaixo das tábuas da arquibancada móvel.

Puxa, que pena. Que pena que ele acidentalmente chutou aquelas coisas ali para baixo.

Donfrey entrou de supetão na área do vestiário, falando alto no celular com voz de sabe-tudo.

Ela estava bem, Donfrey gritava. Nervosa, mas preparada psicologicamente. Valente. Aguentando firme. Uma garota de ouro. Sempre fazia a parte dela: levava a roupa suja para baixo no dia dela, arrastava o latão de lixo para a rua. Não dormiu a semana toda. Muita excitação. O que ela esperava com mais ansiedade? Correr com sua classe na educação física. Imagine: durante toda a sua vida você andou mancando por aí com um pé virado para dentro, então eles finalmente descobrem um jeito de consertá-lo. Era assustador, claro, Deus do céu, o aparelho ortopédico literalmente quebrava e reformava o pé. A coitadinha tinha esperado tanto tempo. Eles tinham que se apressar, apanhar a menina, correr para o lugar. Estavam se atrasando, o tal leilão parecia não acabar nunca. Ele provavelmente deveria ter deixado aquilo de lado, mas era por uma causa tão maravilhosa.

Roosten acabou de se vestir às pressas e deixou o vestiário.

Meu Deus, o que era aquilo? Pelo visto, um dos elfos não era tão perfeito quanto parecia...

Um dos elfos mancava? Ele não se lembrava.

Bem, isso era triste. A enfermidade de uma criança era triste — as crianças eram o futuro. Ele faria qualquer coisa para ajudar aquela menina. Se um dos meninos tivesse um pé torto, ele moveria céus e terras para consertá-lo. Roubaria um banco. E se o menino fosse uma garota, pior ainda. Quem tiraria uma manquinha ou pé-torto ou o que fosse para dançar? Já pensou sua filha ali sentada, com a muleta, toda arrumadinha, sem ninguém para dançar com ela?

Centenas de folhas secas deslizavam ao vento pelo estacionamento da FlapJackers. Um pássaro na amurada do estacionamento saiu voando como um raio, alarmado com o avanço das folhas. Folhas estúpidas, nunca alcançariam aquele passarinho. A não ser que ele o matasse com uma pedra, deixando-o estendido ali. Elas ficariam tão agradecidas que o aclamariam Rei das Folhas.

Hahaha.

Deu um chute rancoroso num monte de folhas.

Merda. Sentia vontade de chorar. Por quê, o que era aquilo, o que é que o deixava tão triste?

Rodou pela cidade em que tinha vivido toda a sua vida. O rio estava cheio. A escola básica tinha uma nova barra para prender bicicletas. Um montão de cachorros saltou na cerca como de costume quando ele passou pelo Canil Flannery. Perto do canil ficava o Mike's Gyros. Uma vez, durante aquele terrível ano da sétima série, sua mãe o levou ao Mike para tomar uma Coca.

"Está com algum problema, Al?", a mãe perguntou.

"Está todo mundo me chamando de mandão e de gordo", ele respondeu. "Para piorar, dizem que sou traiçoeiro."

"Bem, Al", disse ela, "você é mandão, e você é gordo. E imagino que você pode ser bem traiçoeiro. Mas sabe o que mais você é? Você tem o que se costuma chamar de coragem moral. Quando sabe que alguma coisa é certa, você vai e faz, custe o que custar."

A mãe às vezes falava muita merda. Uma vez, ela disse que

sabia que ele seria um grande alpinista, só pelo jeito como ele subiu correndo a escada. Outra vez, quando ele tirou um B-menos em matemática, ela disse que ele deveria se tornar um astrônomo.

A boa e velha Mamãe. Ela sempre o fazia se sentir especial.

De repente sentiu o rosto queimar. Sentia que a mãe o observava do Céu, daquele jeito bem dela, severo mas de esguelha, como se dissesse: Olá, será que não estamos esquecendo alguma coisa?

Bem, aquilo tinha sido um acidente. Ele simplesmente tinha tirado algumas coisas do lugar sem querer. Com o pé. Chutando-as de modo espontâneo num passo em falso.

Os olhos da mãe se apertaram no Céu.

Eles estavam sendo malvados comigo, disse ele.

A mãe no Céu bateu o pezinho.

O que queria que ele fizesse? Que corresse de volta lá e os conduzisse até as chaves? Ficariam sabendo que tinha sido ele o culpado. Além do mais, Donfrey já tinha ido embora há tempos, provavelmente. Provavelmente sua esposa tinha um molho extra de chaves. Se bem que a esposa de Donfrey não estava lá. Bem, alguém podia levar Donfrey de carro para casa. Depois de ele passar um tempo procurando inutilmente suas chaves. Atrasando-se tanto que eles teriam que reagendar aquela coisa com a menina...

Merda.

Ah, eles sobreviveriam. Ninguém iria morrer por causa daquilo. Só que uma menina teria que esperar alguns meses mais pelo seu...

Roosten parou o carro numa estradinha de pedras brancas. Tinha que pensar. Um yorkshire correu até a cerca, latindo de acordo com o ritual. Então apareceu uma galinha. Ahn? Uma galinha e um yorkshire no mesmo quintal. Ficaram parados lado a lado, olhando para Roosten.

Eureca.

Descobriu como podia fazer a coisa.

Ele voltaria sorrateiramente, fazendo de conta que ainda não tinha saído. Todo mundo estaria procurando a carteira e as chaves. Ele procuraria junto com eles por um tempo. Quando estivessem a ponto de desistir, ele diria: Suponho que já tenham procurado embaixo daquelas tábuas, né?

Ahn, pra falar a verdade, não, diria Donfrey.

Talvez valesse a pena tentar, sugeriria Roosten.

Ele chamaria alguns marmanjos e eles ergueriam as tábuas. E lá estariam a carteira e as chaves.

Uau, diria Donfrey. Você é demais.

Foi só um palpite, diria Roosten. Eu simplesmente eliminei todas as outras opções.

Puxa, acho que subestimei você, diria Donfrey. Um dia desses você precisa aparecer lá em casa.

Na mansão?, perguntaria Roosten.

E sabe o quê, Al? Desculpe por aquela vez que saímos abruptamente da sua loja. Aquilo foi uma grosseria. E outra coisa, Al: desculpe por tê-lo chamado de Ed agora há pouco.

Ah, você chamou?, diria Roosten. Nem percebi.

Um jantar na mansão cairia bem. Em pouco tempo ele seria praticamente parte da família. Passaria por ali sempre que quisesse. Seria bacana. Bacana frequentar uma mansão. De vez em quando os meninos podiam ir junto. Se bem que seria bom eles não quebrarem nada. Teriam que brigar do lado de fora. Uma coisa que ele não precisava era ver a mansão do amigo avacalhada. Viu a deslumbrante esposa de Donfrey desabar numa poltrona e cair no choro, aflita por todas as coisas que os meninos tinham quebrado.

Valeu, meninos, muito obrigado por isso. Já para fora. Saiam daqui e fiquem quietinhos lá fora.

Agora dá para ver a lua cheia pela janela grande e ele e Donfrey estão vestindo smokings e a esposa de Donfrey veste alguma coisa dourada e decotada. Este jantar está demais, diz ele. Todos os seus jantares são maravilhosos.

É o mínimo que podíamos fazer, diz Donfrey. Você nos ajudou tanto naquela vez que eu perdi estupidamente minhas chaves.

Hahaha, sim, mas só por causa disso?, diz Roosten.

Então ele lhes conta tudo: como fez uma coisa infeliz, teve uma iluminação e voltou correndo para ajudar.

Que loucura!, diz Donfrey.

Foi preciso ter colhões, diz a esposa de Donfrey. Para voltar desse jeito.

Eu diria que foi preciso ter coragem moral, diz Donfrey.

Sua honestidade nos leva a admirá-lo ainda mais, diz a esposa de Donfrey.

Mag estava lá também. O que ela estava fazendo ali? Bom, tudo bem, ela podia ficar. Mag era boa gente. Uma conversadora decente. Os Donfrey apreciariam suas boas qualidades. Assim como apreciavam as boas qualidades dele próprio. E a mãe deles não iria adorar ver aquilo? Os filhos afinal recebendo o que lhes era devido das mãos de uma gente sofisticada numa bela mansão?

Um som involuntário e bizarro de contentamento arrancou Roosten de seu devaneio.

Haha.

Que diabo. Onde estava?

O yorkshire farejava a galinha. A galinha parecia não se importar. Ou mesmo notar. A galinha tinha uma espécie de foco de raio laser em cima dele, Al Roosten.

Sim, claro. Tá bom que aquilo ia acontecer. Tá bom que ele ia voltar correndo. Nem ferrando. Se voltasse, todo mundo ia ver a verdade na cara dele. Iam acabar pondo no rabo dele. As pessoas estavam sempre vendo a verdade na cara dele e pondo no rabo dele. Quando ele roubou a viseira de Kirk Desner, os garotos do time viram na cara dele e puseram no rabo dele. Na vez que ele enganou Syl, Syl viu na cara dele, rompeu o namoro e o enganou com Charles, que pôs no rabo dele de um jeito possivelmente pior do que qualquer outra comida de rabo que ele já sofreu, e isso numa vida que, ao que parecia ultimamente, não era mais do que uma série ascendente de comidas de rabo.

Voltou o pensamento para a Mãe, como sempre, em busca de uma palavra de incentivo.

O quê? Vai dizer que aquele imbecil do Donfrey nunca cometeu um erro na vida?, disse a Mãe. Nunca se envolveu sem querer numa coisa infeliz, que aconteceu por azar? E agora ele vai querer rotular você de babaca, de escória, ou de pessoa imatura e má, só por causa de um errinho? Isso é justo? Você não acha que em algum momento da vida ele provavelmente também precisou de perdão?

Provavelmente, disse Roosten.

Oh, sem a menor dúvida, disse a Mãe. Conheço você desde sempre, Al, e não há em você um pingo de maldade. Você é Al Roosten. Não se esqueça disso. Às vezes você acha que tem algo de errado, mas a cada vez fica claro que não tem não. Por que ficar se punindo por causa desse assunto e com isso perder a beleza do momento?

A melodia da voz da Mãe em sua cabeça o animou.

Saiu da estradinha de pedras brancas. A Mãe tinha razão. O mundo era lindo. Lá estava o cemitério dos pioneiros com suas lápides amareladas e tombadas. Lá estava a muito vívida oficina Jiffy Lube. Uma densa revoada de pássaros avançou em linha reta e em seguida pousou nos galhos de uma árvore castigada por um raio. Ele sabia que não era a Mãe de verdade em sua cabeça. Que estava só imaginando o que a Mãe iria dizer. Quem podia saber o que a Mãe iria dizer? Ela podia ser uma velha maluca no fim da vida. Mas sentia saudades dela, disso tinha certeza. Pensou de novo na menina aleijada. Eles tinham perdido a hora marcada e teriam que arranjar outra data. A única vaga disponível era dali a meses. Na escuridão da noite, ela estendeu a mão até o pé torto e deixou escapar um gemido. Tinha chegado tão perto, tão perto de conseguir...

Que bosta. Isso era negativo. Era preciso deixar que a cura começasse. Todo mundo sabia disso. Era preciso amar a si próprio. O que era positivo? A loja: pensar em meios de melhorá-la, torná-la decente na medida do possível, trazê-la de volta à vida. Instalaria um café. Arrancaria aquele velho tapete manchado. Pronto, já estava se sentindo melhor. Era preciso ter alegria. A alegria faz um sujeito ir em frente. Assim que tornasse a loja viável, iria mais além, faria com que ficasse ótima. Filas de gente estariam esperando quando ele chegasse a cada manhã. Enquanto ele mentalmente abria caminho na multidão, todo mundo parecia estar perguntando, com sorrisos e tapinhas nas costas, se ele consideraria a hipótese de concorrer a prefeito. Ele faria pela cidade o que tinha feito pela Bygone Daze? Hahaha, que divertido seria aquilo, concorrer a prefeito. De que cores seriam suas bandeiras? Qual seria seu slogan?

AL, AMIGO DO PESSOAL.

Esse era bom.

AL ROOSTEN, O MELHOR QUE A GENTE TEM.

Meio presunçoso.

AL ROOSTEN, IGUAL A VOCÊ, SÓ QUE MELHOR.

Hahaha.

Lá estava a loja. Ninguém estava esperando para entrar. Um pedaço de lona enlameada tinha sido trazido do pátio do ferro-velho pelo vento e estava grudado na vitrine. Do outro lado do ferro-velho ficava o viaduto frequentado pelos mendigos. Aqueles mendigos estavam arruinando seu...

Achava que eles preferiam ser chamados de "sem-teto". Não tinha lido isso em algum lugar? "Mendigo" não era pejorativo? Deus do céu, era muita cara de pau. O sujeito não trabalha sequer um dia na vida, só sai por aí roubando tortas dos peitoris das janelas, e depois vem querer vociferar sobre seus direitos? Teve vontade de andar até um sem-teto e chamá-lo de mendigo. E fazia mais, ô se fazia, agarrava o maldito mendigo pelo colarinho e falava: Ei, mendigo, você está arruinando meu negócio. Deixei de pagar meu aluguel dois meses seguidos. Volte para o país estrangeiro de onde você provavelmente...

Detestava de verdade aqueles vadios que passavam pela sua loja com seus cartazes toscos. Será que não podiam pelo menos escrever direito? Ontem um deles tinha passado com um cartaz que dizia POR FAVOR UMA AJUDA PARA UM CEM-TETO. Teve vontade de gritar: Ei, desculpe, mas você já tem cem! Passavam a maior parte do tempo embaixo do viaduto, será que não podiam pelo menos se corrigir uns aos outros?

Enquanto estacionava o carro, teve um branco esquisito. Onde estava? Na loja. Ugh. Onde estavam suas chaves? No mesmo velho e horrendo chaveiro de corda, impossível de tirar do bolso.

Meu Deus, ele mal suportava a ideia de entrar na loja.

Ficaria ali sentado sozinho a tarde inteira. Por que precisava fazer aquilo? Para quê? Para quem?

Mag. Mag e os meninos contavam com ele.

Ficou sentado por um minuto, respirando fundo.

Um velhote vestido de trapos imundos cambaleava rua acima, arrastando um retângulo de papelão que sem dúvida lhe servia de cama. Seus dentes eram todos roídos, seus olhos, úmidos e vermelhos. Roosten imaginou a si próprio saltando do carro, derrubando o homem com um soco, chutando e chutando de novo, ensinando a ele, desse jeito, uma lição valiosa sobre como se comportar.

O homem sorriu levemente para Roosten, e Roosten sorriu levemente para o homem de volta.

Semplica girl — Os diários

(3 de setembro)
Tendo acabado de fazer quarenta decidi embarcar no grandioso projeto de escrever todo dia neste novo caderno de capa preta recém-comprado na OfficeMax. Excitado ao pensar que, em um ano, à razão de uma página/dia, terei escrito trezentas e sessenta e cinco páginas, e que um belo retrato da vida e da época estará então disponível para filhos & netos, até mesmo para bisnetos, para quem for, todos são bem-vindos (!) para ver como a vida era/é de fato agora. Pois o que sabemos de fato sobre outros tempos? Sobre o cheiro das roupas e o som das carruagens? Será que as pessoas do futuro saberão, por exemplo, como é o som dos aviões atravessando a noite, já que o avião será então coisa do passado? Será que as pessoas do futuro saberão que às vezes gatos brigam à noite? Isso porque terão inventado então alguma química para fazer os gatos não brigarem? Na noite passada sonhei com dois demônios fazendo sexo e descobri que eram apenas dois gatos brigando embaixo da minha janela. As pessoas do futuro entenderão o conceito de "demônios"? Acharão esquisita

nossa crença em "demônios"? As próprias "janelas" existirão? Interessante, para as futuras gerações, que mesmo gente sofisticada que estudou em faculdade como eu às vezes acorde encharcada em suor frio, pensando em demônios, acreditando que talvez haja um debaixo da cama? Seja como for, que diabo, não estou planejando escrever uma enciclopédia, se alguma pessoa do futuro estiver lendo isto, se quiser saber o que era um "demônio", que vá pesquisar numa coisa chamada enciclopédia, se é que vocês ainda as têm!

Estou perdendo o fio da meada, devido ao cansaço, devido àqueles gatos brigões.

Vou escrever vinte minutos por noite, sem ligar para cansaço.

Então boa noite a todas as futuras gerações. Saibam por favor que fui uma pessoa como vocês, também respirei ar e estiquei as pernas enquanto tentava dormir e, ao escrever com lápis, às vezes trazia-o até o nariz para dar uma cheirada. Se bem que, vai saber, talvez vocês, pessoas do futuro, escrevam com canetas a laser. Mas provavelmente elas também têm um certo cheiro, não têm? As pessoas do futuro ainda cheiram suas canetas (a laser)? Bom, está ficando tarde e me desviei demais do assunto com estas especulações filosóficas. Mas com isso cumpro minha resolução de escrever neste caderno pelo menos vinte minutos por noite. (Quando estiver desanimado, basta pensar em quanta coisa terá sido registrada para a posteridade em apenas um ano!)

(5 de setembro)
Ops. Pulei um dia. Confusão dos diabos. Resumir o dia de ontem. Ontem foi meio turbulento. Ao buscar as crianças na escola, o para-choque caiu do Park Avenue. Nota para as futuras gerações: "Park Avenue" = tipo de carro. O nosso não é novo. É

bem velhusco. Um pouco enferrujado. Eva entrou, perguntou o significado de "sucatorama". Naquele exato instante o para-choque caiu. O sr. Renn, professor de história, muito prestativo, recolheu o para-choque (lembrete: escrever carta elogiando-o para o diretor) e disse que ele também teve uma vez um carro cujo para-choque costumava cair, isso quando era pobre, na época da faculdade. Eva me animou dizendo que tudo bem o para-choque cair. Respondi claro que tudo bem, por que não estaria tudo bem, era só uma coisa que tinha acontecido, não era eu que tinha causado. Uma imagem que fica na cabeça é de três crianças adoráveis no banco traseiro, com carinhas tristes e contritas, timidamente segurando o para-choque sobre o colo. Uma das pontas do para-choque teve que ficar para fora do vidro da Eva e com isso hoje ela está fungando, sem falar do pequeno corte na mão por segurar na parte em que o para-choque tinha gume afiado. O sr. Renn amarrou um lenço na ponta do para-choque que ficou para fora do vidro. Quando Eva manifestou em voz alta sua preocupação de que não podíamos esquecer de devolver o lenço ("Bom, Papai, somos do tipo desligado"), eu disse que não nos via nem um pouco como do tipo desligado. Então, claro, no caminho para casa, o lenço foi levado pelo vento.

Lilly, como sempre, colocou tudo em perspectiva, dizendo quem se importa com um estúpido para-choque, de todo modo vamos comprar logo um carro novo, quando formos ricos, certo? Chegando em casa, coloquei o para-choque na garagem. Na garagem, achei o cadáver de um camundongo grande ou de um esquilo pequeno fervilhando de vermes. Usei a pá para transferir a maior parte do esquilo/camundongo para um saco dc lixo preto. Uma mancha ou pasta de esquilo/camundongo permanece no chão da garagem, como uma poça ressecada de óleo com tufos de pelos grudados.

Fiquei um tempo parado olhando para a casa, triste. Pensei:

Por que a tristeza? Não fique triste. Triste, você entristece todo mundo. Entrei alegre, sem mencionar para-choque, nem pasta de esquilo/camundongo, nem vermes, então dei a Eva uma porção extra de sorvete por ter sido ríspido com ela. É a menina mais doce. O melhor dos corações. Uma vez, quando pequena, encontrou um passarinho morto no quintal e depositou-o no escorregador, para que ele pudesse "levar ele de volta para os parentes". Chorou quando jogamos fora a velha cadeira de balanço, insistindo que ela, a cadeira, tinha lhe dito que queria viver para sempre no porão. É preciso ser melhor! Ser mais bondoso. Começar agora. Logo as crianças vão crescer e que coisa triste vai ser se a única lembrança que tiverem de você for a de um sujeito rabugento e irritado num carro ruim.

Lista do que Precisa Ser Feito: Examinar canhotos do talão de cheques. Conseguir adesivo de inspeção para o Park Avenue. Recolocar para-choque. (Anotação para mim mesmo: conserto do para-choque é requisito para adesivo de inspeção?) Lavar com esfregão pasta de esquilo/camundongo para que crianças possam usar garagem para brincadeiras de verão.

Lista do que Deve Ser Feito: Limpar porão. (Chuva recente causou mini-inundação, que arruinou materiais estocados para Natal. Também gaiola do porquinho-da-índia saiu boiando. Foi transferida para cima da máquina de lavar roupa. Agora, para lavar roupa, necessário mudar de novo gaiola, temporariamente, para dentro da água.)

Quando terei tempo livre/riqueza o bastante para sentar num fardo de palha contemplando o nascimento da lua, enquanto dentro da mansão luxuosa a família dorme? Nesse dia, terei chance de refletir profundamente sobre o sentido da vida etc. etc. Tenho a sensação, e sempre tive, de que esta e outras coisas boas vão nos acontecer!

* * *

(6 de set.)

Festa de aniversário muito deprimente hoje na casa da amiga de Lilly Leslie Torrini. Casa é mansão onde Lafayette se hospedou uma vez. Os Torrini nos mostraram o quarto de Lafayette: agora a "Toca da Diversão" deles. TV de plasma, máquina de fliperama, massageador elétrico de pés. Cento e vinte mil metros quadrados de propriedade, seis anexos (chamam aquilo de "anexos"): um para Ferraris (três), um para Porsches (dois, mais um que está no conserto), um para carrossel histórico que eles estão restaurando como se fosse da família (!). Por cima de córrego repleto de trutas, ponte oriental vermelha trazida da China. Nos mostraram marca de casco de cavalo de alguma dinastia. Na sala da frente, perto Steinway, molde de gesso de marca de casco de cavalo de dinastia ainda mais antiga, em madeira de outra ponte. Autógrafo de Picasso, autógrafo de Disney, vestido que Greta Garbo usou uma vez, tudo exibido em grande armário de mogno maciço.

Horta cuidada por sujeito chamado Karl.

Lilly: Uau, esta horta é tipo umas dez vezes maior que todo o nosso quintal.

Canteiro de flores, cuidado por outro sujeito, curiosamente também chamado Karl.

Lilly: Você não adoraria morar aqui?

Eu: Lilly, haha, não começa...

Pam (minha mulher, doce amor da minha vida!): Que foi? O que ela está dizendo de errado? Você não adoraria? Não adoraria morar aqui? Eu com certeza adoraria.

Em frente da casa, em vasto gramado, maior arranjo SG já visto, todo em branco, aventais brancos tremulando na brisa, e Lilly diz: A gente pode chegar mais perto?

Leslie, sua amiga: Pode, mas não é nosso costume.

A mãe de Leslie, vestida de sarongue indonésio: A gente não tem o costume porque já fez isso muitas vezes, querida, mas talvez você esteja querendo, não é? Quem sabe tudo é muito novo e empolgante para você, não é?

Lilly, timidamente: É sim.

A mãe de Leslie: Então vá, fique à vontade.

Lilly sai correndo.

A mãe de Leslie, para Eva: E você, querida?

Eva se espreme timidamente contra minha perna, balança a cabeça negativamente.

Nesse momento o pai (Emmett) aparece, segurando pata recém-pintada de cavalo do carrossel, e diz hora do jantar, espera que gostemos de peixe agulhão trazido fresco de avião da Guatemala, preparado com um raro condimento encontrado apenas numa região minúscula de Myanmar, conseguido à custa de suborno, sem falar no contêiner especial que ele teve de projetar e fazer para garantir o frescor do peixe.

As crianças podem comer mais tarde, na casa da árvore, diz a mãe de Leslie. Compramos talheres e louças especiais. Os que tínhamos anteriormente na casa da árvore eram russos, da época em que moramos lá. Muito bons, mas um pouco gastos. Além disso, os castiçais eram antigos. Quando digo antigos, quero dizer antigos como os Romanov.

E na semana passada finalmente fizemos o cabo chegar até lá, diz Emmett.

Ele aponta para a casa da árvore, que é pintada à maneira vitoriana e tem um telhado com empena, um telescópio se projetando para fora e o que parece ser um pequeno painel de energia solar.

Thomas: Uau, aquela casa da árvore é tipo duas vezes o tamanho da nossa casa de verdade.

Pam (sussurrando): Não diga "tipo".

Eu: Oh, hahaha, deixe ele dizer o que quiser, não vamos ser...

Thomas: Aquela casa da árvore é duas vezes o tamanho da nossa casa de verdade.

(Thomas, como sempre, exagerando: casa da árvore não dobro do tamanho de nossa casa. Está mais para um terço do tamanho da nossa casa. Ainda assim, admito: senhora casa da árvore.) Nosso presente não dos piores. Ainda que possivelmente menos caro (alguém trouxe um miniaparelho de DVD, outro trouxe uma mecha de cabelo de uma múmia verdadeira (!)), era, em minha opinião, o mais sincero. Porque Leslie (que pareceu desapontada diante da mecha de cabelo da múmia, porque ela já tinha uma (!)) ficou, ou assim me pareceu, emocionada com a simplicidade de nosso jogo de bonecas de cartolina para recortar e vestir. E embora nós não o considerássemos kitsch quando o compramos, quando a mãe de Leslie disse Les, dá só uma olhada, kitsch ou não, você não amou?, eu pensei: Bem, talvez seja kitsch, talvez tenha sido essa a nossa intenção. De todo modo, aquilo aliviou o golpe quando o presente seguinte foi um ingresso para o Grande Prêmio de Preakness (!), já que Leslie tinha desenvolvido recentemente um interesse por cavalos, e começara a acordar cedo para alimentar os nove cavalos da família, ela que anteriormente se recusara categoricamente a alimentar as seis lhamas.

A mãe de Leslie: Então adivinhem quem acabou alimentando as lhamas?

Leslie (cortante): Mãe, você não lembra que naquela época eu sempre tinha ioga?

A mãe de Leslie: Se bem que, pra falar a verdade, foi uma bênção, uma chance que tive de redescobrir como são maravilhosos aqueles animais, depois da escola, nos dias em que Les tinha ioga.

Leslie: Tipo todo dia, a ioga?

A mãe de Leslie: Acho que a gente deve simplesmente confiar nos filhos, confiar que o interesse inato deles pela vida vai prevalecer no fim, vocês não acham? É o que está acontecendo agora, com Les e os cavalos. Meu Deus, como ela os adora.

Leslie: Eles são maravilhosos.

Pam: Nossos filhos, a gente não consegue nem fazer com que eles recolham o que o Ferber faz no jardim da frente.

A mãe de Leslie: E Ferber, quem é?

Eu: O cachorro.

A mãe de Leslie: Haha, sim, bem, tudo que é bicho faz cocô, não é mesmo?

Ainda que seja verdade que não conseguimos manter jardim limpo, mesmo com recente tentativa de escala de trabalho, não gostei ver Pam divulgando isso para mundo, como se nossos filhos, além de não tão bem vestidos como Leslie, também menos responsáveis, como se cachorro não fosse bicho de estimação tão perfeito quanto lhama, cavalo, papagaio (papagaio no andar de cima da mansão diz "*Bonne nuit!*" quando passo para ir ao banheiro) etc. etc.

Depois do jantar, caminho pelas redondezas com Emmett, que é cirurgião e faz dois dias por semana alguma coisa com insertos cerebrais, pequenos aparelhos eletrônicos? Ou seria biotrônicos? São muito pequenos. Centenas deles cabem em cabeça de alfinete? Ou moeda de dez centavos? Não acompanhei muito bem. Perguntou sobre o meu trabalho, respondi. Ele disse: Bem, ahn, é surpreendente as coisas arcanas que nossa cultura exige que alguns de nós façam, coisas degradantes, coisas que não oferecem nenhum benefício tangível a ninguém; como esperam que as pessoas ao menos continuem a manter a cabeça erguida?

Não consegui pensar em resposta. Anotação para mim mesmo: Pensar em resposta, mandar em cartão, dando início amizade com Emmett?

De volta à mansão, sentamos no terraço especial de observação das estrelas quando elas começavam a aparecer. Nossos filhos contemplavam as estrelas fascinados, como se nada de estrelas no nosso bairro. Que foi, perguntei, não tem estrela no nosso bairro? Nenhuma resposta. De ninguém. A bem da verdade, as estrelas de fato pareciam mais brilhantes ali. No terraço estelar, havia muita coisa para beber, e de repente tudo aquilo em que eu pensava pareceu estúpido. Então simplesmente fiquei quieto, como em estupor.

Pam dirigiu de volta para casa, comigo sentado bêbado e calado em banco do passageiro do Park Avenue. Crianças tagarelando sobre como a festa tinha sido incrível, especialmente Lilly. Thomas despejando todos aqueles detalhes aborrecidos sobre a lhama de acordo com Emmett.

Lilly: Mal posso esperar pela minha festa. Minha festa é daqui a duas semanas, certo?

Pam: O que você quer fazer no seu aniversário, meu bem?

Longo silêncio dentro do carro.

Lilly, por fim, com tristeza: Ah, não sei. Nada, acho.

Estacionamos em casa. Outro silêncio enquanto contemplávamos jardim vazio e insípido. Isto é, cheio de mato e sem ponte oriental vermelha c/ marcas antigas de cascos de cavalo, nem anexos nem sequer uma só SG, mas apenas Ferber, que a gente tinha meio que esquecido, e que, como sempre, tinha dado voltas e voltas na árvore até quase morrer estrangulado em sua guia cada vez mais curta, tendo basicamente imobilizado a si próprio junto ao chão, e agora, deitado inerte, olhava para nós com olhos suplicantes nos quais o desespero se combinava com uma espécie de raiva cozinhando em fogo lento.

Soltei cachorro da coleira, ele me lançou olhar hostil e foi fazer cocô extremamente perto da varanda.

Esperando para ver se crianças tomariam iniciativa de recolher. Mas não. Elas passaram direto, de ombros caídos, e pararam exaustas diante da porta da frente. Então eu soube que teria de tomar iniciativa e recolher. Mas estava cansado e sabia que tinha de entrar e escrever neste caderno estúpido.

Não gosto muito de gente rica, pois faz com que nós, pobres, nos sintamos nulos e inadequados. Não é que sejamos pobres. Eu diria que somos classe média. Somos muito muito abençoados. Sei disso. Mas, ainda assim, não acho certo que pessoas ricas façam com que nós, classe média, nos sintamos nulos e inadequados.

Estou escrevendo isto ainda bêbado e está ficando tarde e amanhã é segunda-feira, o que significa trabalho.

Trabalho trabalho trabalho. Trabalho estúpido. Estou tão cansado de trabalho.

Boa noite.

(7 de set.)

Acabo de ler últimas anotações e preciso esclarecer.

Não estou cansado de trabalhar. Trabalhar é um privilégio. Não odeio gente rica. Eu mesmo aspiro a ser rico. E quando tivermos nossa própria ponte, trutas, casa da árvore, SGs etc., pelo menos vou saber que fizemos por merecer tudo isso, diferentemente, digamos, dos Torrini, que, tenho impressão, devem ter dinheiro de família.

Hoje no trabalho, na hora do almoço, foi Festa do Outono. Lá fomos nós, uns mil camaradas debandando. Pequeno trio tocando. Alguém tinha distribuído bandeirolas amarelas e cor de laranja com as letras "FF", em pouco tempo espalhadas pelo chão. Rio falso atravessa pátio, muitos babacas tinham jogado suas bandeirolas no rio falso. Bueiro gradeado numa das pontas logo entupido pelas bandeirolas, homem da manutenção, com inúmeras bandeirolas apontando de bolso traseiro, irritado tentando arrancar bandeirolas do bueiro com vara de medir.

Como sempre, serviram aqueles pequenos sanduíches em pão de forma. Quando nosso grupo desceu, muitos sanduíches já no chão em torno da mesa do bufê, com marcas de pisões. Caímos de boca sobre mesa, comemos sofregamente. Sentei pensando em Eva. Um amor de menina. Na noite passada, depois da festa, encontrei triste em seu quarto. Perguntei por quê. Respondeu não tinha motivo. Mas no bloco de esboços: desenho em creiom de fileira de SGs tristes. Dava para saber que era para parecerem tristes por vincos que desciam por faces como bigodes de Fu Manchu e por lágrimas que caíam em arco, flores nascendo do chão onde lágrimas caíam. Anotação para mim mesmo: falar com ela, explicar que não dói, que elas não estão tristes, mas sim alegres, dadas as suas condições anteriores; elas escolheram, estão contentes etc.

Matéria muito tocante na Rádio Pública Nacional. SG bengali mandando dinheiro para família: com isso, pais têm condições de construir pequena choça. (Anotação para mim mesmo: Encontrar na internet, baixar, mostrar para Eva. Primeiro, consertar computador. Computador superlento. Será que é memória baixa? Deletar, quem sabe, "CircusLoser"? Acrobatas se movem aos solavancos, devido memória baixa + elefantes não saltam = graça nenhuma.)

Logo já era quase uma hora, voltamos ao trabalho. No elevador, alguns ainda segurando nossos pequenos sanduíches, lá estávamos nós, engravatados e de rosto vermelho, fazendo piadas sobre Festa de Outono, chega de Festa de Outono, Festa de Outono já era etc. etc. Em seguida o silêncio constrangido enquanto cada um de nós, mentalmente, dizia de novo as coisas que tínhamos acabado de dizer com entusiasmo e veemência, como se disputássemos uma espécie de Concurso de Frase Estúpida.

Em seguida breve período durante o qual cada um de nós olhou disfarçadamente para o espelho do teto do elevador para checar pontos de calvície etc. etc. etc., para ver enfim como éramos "vistos de cima".

Anders disse: Devo parecer bem esquisito para os pássaros.

Ninguém riu, todos se limitaram a fazer aquele som que é como um substituto da risada, de modo a não fazer Anders sentir-se mal, já que sua mãe morreu recentemente.

(8 de set.)

Acabo de voltar de longa caminhada em Woodcliffe.

Por toda parte lá, homens da minha idade lendo em suas poltronas sob opulentas luzes laranja. Onde está minha poltrona? Minha luz laranja? Nada de poltrona, nada de luz opulenta, nada de sala forrada de livros. Por que a arte em nossas paredes é tão capenga? Só temos um quadro de carros antigos comprado na Target e um de praia genérica c/ roda-gigante, de um bazar. O que estamos fazendo de errado aqui? Onde estão nossas pinturas originais caras e emolduradas, assinadas por artistas? (Anotação para mim mesmo: Fazer amizade com jovem artista? Jovem artista vem em casa, fica impressionado com família, pinta retratos da família grátis? Ainda assim, fica caro emoldurar. Quem sabe artista, tão impressionado com família, emoldura por conta própria o quadro, isto é, moldura = parte do presente?) Em Woodcliffe, tudo exuberante. Lindos canteiros floridos, cheiro noturno de humo de cedro, lanchas em gramados ao luar. Atrás do casarão com torres na esquina da Longfellow com Purdy Way, terreno em aclive tem uns duzentos metros de gramado perfeito. Ali no escuro, quinze (eu contei) sGs pendendo silenciosas, aventais brancos ao luar. De tirar o fôlego. Vento fica mais forte, oscilam pequeno ângulo, aventais e cabelos (longos, ondeantes, pretos) assumindo mesmo ângulo. Flores incríveis (tulipas, rosas, algo cor de laranja brilhante, coisas com longos talos e cachos brancos) balançando ao vento com som de papel contra papel. Dentro, música de flauta. Faz a gente pensar em eras antigas e homens abastados daqueles tempos construindo grandiosos jardins, perambulando por eles enquanto discorriam sobre filosofia, com uma fartura de terras conquistadas para o deleite de etc. etc. etc.

Vento para, tudo retorna à vertical. Do outro lado do jardim: sussurro suave, rudimentos de frases estrangeiras murmuradas. Quem sabe dando boa-noite? Quem sabe dizendo, em sua língua própria: nossa!, que vento forte foi aquele?

Quase cheguei mais perto para olhar melhor, conversar talvez, mas no último minuto me detive, pensando: Espere, nada de invadir, péssima ideia.

Parei um pouco para observar, pensando, rezando: Senhor, dai-nos mais. Dai-nos o bastante. Ajudai-nos a não ficar atrás de nossos semelhantes. Isto é, ajudai-nos a não ficar mais atrás ainda de nossos semelhantes. Pelo bem das crianças. Não quero vê-las estigmatizadas por ficar tão atrás dos outros.

É tudo o que eu peço.

Cachorro começou a latir, passou em disparada entre duas sGs, uma das quais deixou escapar gritinho agudo. Mas cachorro preso na guia. Estalou de volta.

De dentro de casa: Quieto, Brownie! Bonzinho, Brownie!

Escutei isso sob sombra de árvore, fugi correndo dali.

(12 de set.)

Nove dias para aniversário de Lilly. Meio apreensivo com

isso. Muita pressão. Não quero uma festa ruim. Por que será? Talvez próprio aniversário de treze anos? Passeio a cavalo e Ken Dryzniak quase paralítico por causa de queda? Além disso bolo insosso. Cobra ameaçou Kate Fresslen. Papai matou cobra com enxada, pedaços do bicho saíram voando, manchando vestido de Kate? Ou será essa tensão pré-aniversário perfeitamente normal, todos os pais sentem?

Tinha pedido a Lilly uma lista de sugestões de presentes. Hoje voltei para casa e encontrei envelope com LISTA DE POSSÍVEIS PRESENTES. Dentro, recortes de algum catálogo: *"Ferocidade em Repouso". Um par de ferozes gatos selvagens de porcelana está amansado (ao menos por enquanto!) em almofadas ornamentais altamente detalhadas, mas sua selvageria não deve ser subestimada. Guepardo de perfil esquerdo: US$ 350. Tigre de perfil direito: US$ 325.* Depois, um post-it: PAPAI, SEGUNDA OPÇÃO: *Estatueta de "Garota Lendo para Irmãzinha": Este estudo de infância da artista de Nevada Dani vai rememorar em porcelana as alegrias da "hora da historinha" e os momentos de ternura compartilhados por todo mundo. Garota e garotinha lendo em pedra polida: US$ 280.*

Desanimador, achei. Porque 1) Por que garota de doze anos deseja um presente de velha como aqueles? e 2) De onde garota de doze anos tira ideia de que US$ 300 = preço adequado para presente de aniversário? Para nós era uma camisa, uma camisa que não queríamos, geralmente feita em casa. Uma vez ganhei bola de basquete, do tipo oficial, mas que pulava demais, vermelha, branca e azul, com um palhaço desenhado nela, por algum motivo. Quando batida no chão, saltava meio metro mais alto que uma bola normal. Amigos a chamaram de minha "saltadora". Não preciso dizer que não custou trezentos. Acho que Mamãe a resgatou com cupons de sabão em pó. Me deu embrulhada em camisa feita em casa com uma manga comprida pendendo solta. Então me conclamou a vestir camisa de mangas compridas, vai lá, "mostra pra eles". Tirou foto de mim tentando driblar com bola saltadora enquanto amigo Al estendia manga comprida da camisa, como se dissesse: Uau, que braço comprido. Na foto, bola quicando fora do quadro. Curva inferior da bola apenas visível, como lua crescente, Chris M. olhando para bola/lua, espantado/encolhido.

De todo modo, não quero machucar coração de Lilly nem lembrá-la brutalmente das nossas limitações. Deus sabe que ela já é brutalmente lembrada a todo momento das nossas limitações. Para o projeto "Meu Jardim", da escola, Leslie Torrini levou fotos da ponte oriental, mais informações de fundo sobre SGs (lugar de origem, idade etc.), como fizeram "todos os outros alunos da classe", enquanto Lilly levou caixa de camisinhas de 1940 encontrada no ano passado durante tentativa abortada de iniciar horta no jardim. Talvez palpite infeliz deixá-la levar caixa de camisinhas. Pensei que seria bom, em termos históricos, além do que talvez muitos nem percebessem que caixa de camisinhas. Mas professora percebeu, chamou atenção, crianças deram grande vaia, professora aproveitou ocasião para discutir sexo seguro, o que foi bom para classe, mas talvez não tão bom para Lilly.

Quanto à festa de aniversário, Lilly disse que preferia não fazer nenhuma. Perguntei por que não, meu bem? Ela disse ah por nada. Perguntei é por causa do nosso jardim, da nossa casa? É porque você teme que, com a nossa casa pequena e o jardim vazio, a festa pode ser chata ou constrangedora?

Diante disso ela caiu no choro e disse: Oh, Papai.

A bem da verdade, uma estatueta talvez não seja um exagero. Ou melhor, talvez valha muito a pena fazer essa concessão, devido à expressão triste em seu rosto quando ela voltou para casa no dia do "Meu Jardim" e largou caixa de camisinha sobre mesa com um suspiro.

Quem sabe "Garota Lendo para Irmãzinha", já que é mais barato? Se bem que dar o mais barato talvez emita mau sinal. Sinal de frugalidade mesmo no meio de tentativa de ser generoso? Quem sabe seja melhor partir para o grande. Para o "Ferocidade em Repouso"? Colocar guepardo no Visa, tomara que ela tenha uma alegre surpresa?

(14 de set.)
Observei Mel Redden hoje. Ele se saiu bem. Eu me saí bem. Ele cometeu pequenos erros, flagrei todos eles. Cometeu erro de reciclagem: jogou lata de refrigerante no cesto errado. Ao jogar lata no cesto errado, cometeu erro ergonômico, arremessando de muito longe, errando o alvo, tendo que se levantar e jogar de novo. Então cometeu segundo erro ergonômico: não se agachou para recolher lata e jogar de novo, em vez disso dobrou corpo para a frente, aumentando assim risco de lesão nas costas. Mel deu visto em minhas Observações, e aí me pediu para observar de novo. Muito esperto. Aí não cometeu erro algum. Não jogou latas no cesto. Não cometeu erro ergométrico algum, só ficou sentadinho atrás da mesa. Desse modo pôde colocar isso como adendo em seu Registro. Despedimo-nos como bons amigos etc. etc.

Uma semana até o aniversário de L.

Anotação para mim mesmo: Encomendar guepardo.

Não simples, porém. Alguns problemas recentes com Visa. Estourado. Mais que estourado. Descobri no YourItalianKitchen, cartão recusado. Deixei Pam e crianças lá, saí rapidinho com grande sorriso amarelo, rodei até caixa eletrônico. Então momento de pânico quando caixa eletrônico rejeitou cartão. Bêbado passando disse que terminal estava quebrado, me indicou outro caixa eletrônico. Agradeci bêbado com aceno amigável ao passar por ele de carro. Bêbado me mostrou dedo do meio. Segundo caixa eletrônico, funcionando graças a Deus, não rejeitou cartão.

Cheguei sem fôlego de volta ao YourItalianKitchen e encontrei Pam na terceira xícara de café e crianças caindo de sono das cadeiras e enchendo aquário de moedinhas, garçons parecendo irritados. Paguei em dinheiro, c/ generosa gorjeta de desculpas. Cogitei recolher moedinhas das crianças (!). Ainda assim, tudo somado, bela noitada. Divertida mesmo. Crianças mostraram bons modos, até a parte do aquário. Mas problema continua: Visa estourado. Também AmEx estourado e Discover quase. Liguei para Discover: US$ 200 disponíveis. Se transferirmos US$ 200 da conta bancária (assim que entrar o salário), teremos então US$ 400 disponíveis no Discover e poderemos comprar guepardo. Mas timing problemático. No momento, saldo bancário zero. Cheque do meu pagamento precisa sair, tenho que depositá-lo imediatamente e torcer para que seja compensado rápido. E então, ao organizar contas, deixar de pagar as pequenas, totalizando US$ 200 dólares não pagos. Ou com pagamento adiado.

Situação está crítica por estes dias.

Anotação para futuras gerações: Em nossa época, existem coisas chamadas cartões de crédito. Empresa empresta dinheiro, você paga de volta com altas taxas de juros. É bacana quando você realmente não tem dinheiro para fazer coisa que quer fazer (por exemplo, comprar guepardo extravagante). Seguro aí em seu tempo futuro, você poderá dizer: Não seria melhor simplesmente deixar de comprar coisa que você não tem condições de bancar? Para vocês é fácil dizer! Vocês não estão aqui, neste nosso mundo, com filhos, filhos que a gente ama, enquanto outras pessoas estão proporcionando coisas boas para os filhos delas, tais como uma Viagem de Turismo Histórico a Nice, se vocês são os Mancini, ou três semanas de mergulho em navios naufragados nas Bahamas, se vocês são Gary Gold e seu bronzeado e afetado filho Byron.

Limitações frustrantes demais.

Há tanta coisa que eu quero fazer, experimentar e dar às crianças. Tempo passando tão rápido, crianças crescendo tão depressa. Se não agora, quando? Quando lhes daremos fartura e senso de generosidade? Nunca estivemos no Havaí nem voamos de *parasail* nem almoçamos num restaurante à beira-mar, usando chapéus de palha que acabamos de comprar num impulso. Então eu me preocupo: Crescendo em meio à escassez, elas não se tornarão precavidas demais? Não que elas estejam crescendo em meio à escassez. Ainda assim, existem coisas que queremos e não temos condições de ter. Se crianças crescerem precavidas demais, devido à escassez, será que o mundo não vai mastigá-las e cuspi-las em seguida? Vontade de comprar baú, decorá-lo como tesouro enterrado, enterrá-lo, fazer mapa, esconder mapa, conduzir crianças até mapa sem perceberem. Então, quando elas trouxerem mapa, dizer: Ridículo, não sejam tão sonhadores, sejam precavidos, sejam frugais, o mundo é cruel. E quando elas persistirem, e de fato encontrarem tesouro, não seria uma grande lição de perseverança? Mas como fazer isso? Onde conseguir um baú desses? O que colocar dentro dele que não custe muito caro? Como cavar um buraco grande o bastante, e quando? Sempre ocupado nos fins de semana. Se tivesse mais dinheiro, poderia contratar empregada, contratar jardineiro, ficando livre para encontrar baú, encher baú, enterrar baú. Ou mandar jardineiro enterrar baú, depois que eu enchesse. Ou mandar empregada encher. Mas não tenho dinheiro nem para empregada nem para jardineiro, nem dinheiro para baú do tesouro, nem tesouro para colocar dentro, e na verdade não tenho dinheiro sequer para comprar kit para fazer mapa parecer antigo.

Mesmo assim, tenho que lutar o bom combate! Pensar no Papai. Quando Mamãe deixou Papai, ele continuou indo trabalhar. Quando despedido do emprego, passou a entregar jornais. Quando despedido da entrega de jornais, pegou entrega de jornais pior. Com o tempo, pegou entrega melhor de volta. Quando morreu, tinha emprego quase tão bom quanto original que ele havia perdido. E tinha pagado maior parte da dívida contraída depois do rebaixamento para entrega pior. Anotação para mim mesmo: Visitar túmulo de Papai. Levar flores. Ter conversa com Papai a respeito de certas coisas que eu disse na época da entrega de jornais, razão, não podia bancar aluguel de smoking para baile de formatura, tive que usar velho smoking de Papai, que não servia direito. Ainda assim, não precisava ter sido rude. Papai não tinha culpa de ser um palmo mais alto que eu e por isso pernas da calça arrastavam, escondendo sapatos emprestados de Papai, que apertavam porque Papai, apesar de alto, tinha pés pequenos.

Bom sujeito, o Papai. Sempre trabalhou duro por nós e nunca nos deixou e sempre nos trazia balas, mesmo no começo duro da entrega pior.

(15 de set.)

Droga. Plano não vai funcionar. Sem poder passar a tempo o cheque para o saldo do Discover. Precisa de tempo para ser compensado.

Portanto, nada de guepardo.

Tenho que pensar em alguma outra coisa para comprar para Lilly de modo que a gente possa dar para ela na festinha só p/ família na cozinha. Ou talvez precise fazer o que Mamãe às vezes fazia, que era, quando coisa não era acessível, embrulhar foto da coisa, com bilhete prometendo coisa. No entanto, anotação para mim mesmo: Não fazer outra coisa que Mamãe fazia, que era, quando filho tentava resgatar o presente, revirar os olhos, fingir exasperação, perguntar filho se filho achava que dinheiro crescia em árvore.

Não. Quando Lilly chegar para mim com o cupom, surpreender com generosidade levando-a a almoço glamoroso no melhor lugar da cidade, toda bem vestida, proprietário se aproxima e diz, c/ sotaque francês, *Oh, percebo que é o dia especial de uma pessoa*, e Lilly enrubesce (anotação para mim mesmo: Aprender frase em francês que significa *Sim, sim, é o aniversário dela*), depois do que vamos comprar estatueta, e para surpresa dela eu compro não apenas uma, mas duas estatuetas, e, melhor ainda, mais caras do que aquelas chinfrins do catálogo.

Anotação para mim mesmo: Encontrar anúncio com foto do guepardo, para fazer cupom do presente. Estava na escrivaninha pequena, mas não vi mais. Talvez usado para anotar recado de telefonema? Talvez usado para recolher coisinha que gato cuspiu?

Anotação para mim mesmo: Descobrir qual melhor restaurante da cidade.

Tadinha da Lilly. Sua doce carinha confiante quando era bem pequena, com a coroa do Burger King, e agora isso? Ela não sabia que estava destinada a ser, não princesa, mas menina pobre. Menina remediada. Menina não-mais-rica-de-todas.

Nada de festa, nada de presente. Possivelmente nada de foto do guepardo no cupom. Podia desenhar um guepardo, mas capaz de pensar que estava ganhando camelo. Ou deixando de ganhar camelo, melhor dizendo. Não sou o melhor desenhista. Hahaha! É preciso manter o astral. Rir é o melhor remédio etc. etc.

Um dia, tenho certeza, sonhos vão se realizar. Mas quando? Por que não agora? Por que não?

Estou com uma tremenda dor de cabeça faz três dias.

* * *

(20 de set.)

Desculpem pelo silêncio, mas... uau!

Estava feliz/ocupado demais para escrever!

Sexta-feira dia mais incrível da minha vida! Não preciso nem anotar, pois nunca esquecerei esse dia estupendo! Mas vou registrar para as futuras gerações. Será bom para elas saber que a boa sorte e a felicidade são reais e possíveis! Na América de meu tempo, quero que saibam, tudo é possível!

Bizarro olhar a anotação anterior e ver a frase "Por que não agora?", porque *exatamente*! Isso é exatamente o que aconteceu!

Uau uau uau é tudo o que posso dizer! Lembram que eu disse, acima, que sempre compro um bilhete de Raspadinha na hora do almoço? Será que eu disse mesmo? Talvez não? Bom, sexta-feira ganhei DEZ MIL PRATAS!! A cada sexta, para me recompensar por boa semana, paro num mercadinho perto de casa, me premio com um Butterfinger, mais bilhete de Raspadinha. Às vezes, semana mais dura, dois Butterfingers. Às vezes, semana dura pra burro, três Butterfingers. Mas, quando três Butterfingers, nada de Raspadinha. Mas na sexta-feira ganhei DEZ MIL PRATAS!! Na Raspadinha. Deixei cair os dois Butterfingers, fiquei ali parado moedinha da Raspadinha na mão, a boca desse tamanho. Meio que tropecei no suporte das revistas. O sujeito pegou o bilhete, leu o bilhete, disse: Premiado! O sujeito saiu, deu uma ajeitada no suporte, apertou minha mão.

Então disse que pegaríamos o cheque, o cheque de DEZ MIL, dali uma semana.

Corri para casa a pé, esquecendo o carro. Corri de volta para pegar o carro. No meio do caminho, pensei que diabo, corri para casa a pé. Pam correu para a rua, perguntou cadê o carro? Mostrei para ela a Raspadinha premiada, ela ficou que nem tonta no jardim.

Agora estamos ricos?, perguntou Thomas, correndo para fora, arrastando Ferber pela coleira.

Ricos não, disse Pam.

Mais ricos, disse eu.

Mais ricos, disse Pam. Cacete.

Então todo mundo dançou junto pelo jardim, Ferber olhando pasmo para a dança súbita, aí também fez a dança dele, tentando morder o próprio rabo.

Então, claro, tinha que decidir como usar o dinheiro. Aquela noite na cama Pam disse usar uma parte para saldar os cartões de crédito? Meu sentimento era que ok, era possível. Mas não me deixava empolgado, e também nem ela estava tão empolgada.

Pam: Seria bacana fazer alguma coisa especial para o aniversário da Lilly.

Eu: Também acho, sim, exato!

Pam: Ela podia usar alguma coisa. Tem estado tão tristinha.

Eu: Sabe de uma coisa? Vamos nessa.

Porque Lilly é a nossa filha mais velha, a gente tem um fraco por ela, um fraco que é também que nem uma preocupação especial.

Então a gente bolou um esquema e pôs em prática.

Que foi o seguinte: a gente foi à Greenway Paisagismo, mandou fazer um projeto totalmente novo de jardim, incl. dez roseiras + alameda de cedros + laguinho + pequena banheira + arranjo de quatro SGs! O enrosco era: em quanto tempo dava para fazer tudo aquilo? A Greenway disse que, pagando tanto, podia fazer num único dia, as crianças na escola. (Anotação para mim mesmo: escrever carta elogiando Melanie, a moça da Greenway: superprestativa.)

O segundo passo foi enviar convites secretos para a festa surpresa a ser realizada à noitinha do dia da inauguração do novo jardim, isto é, amanhã, isto é, por isso fiquei tão silencioso em termos deste caderno na última semana, desculpem, desculpem, mas estive ocupado demais!

Pam e eu trabalhamos tão bem juntos, como nos velhos tempos, tão unidos e afinados, em total harmonia, que na noite em que preparativos todos prontos fomos para a cama cedo (!!). (Roteiro de cena de massagem, não me perguntem mais nada.)

Desculpem se fiquei meloso.

É que estou feliz.

Às vezes tão ocupados não a vejo/ela não me vê. Mas quando acontece da gente se ver, é como nos velhos tempos, por exemplo primeiro encontro no Melody Lake, quando, entrando na Gruta do Espeleólogo, nos beijamos perto da multidão de animatrônicos de barba grisalha, sob o cheiro da névoa de cloro da cascata azulzinha ali perto.

Começo de nossa linda história.

Estou tão feliz.

Anotação para futuras gerações: Felicidade é possível. E feliz é bem melhor do que o contrário, isto é, triste. Espero que vocês saibam disso! Eu sabia, mas esqueci. Me acostumei a ficar sempre um pouquinho triste! Um pouquinho triste, devido à tensão, devido à preocupação com limitações. Mas agora, uau, não: feliz!

Amanhã a festança para Lilly.

(21 de setembro! Aniversário da Lilly (!))

Tem dias tão perfeitos que a gente sente: A vida é isso. Quando ficar velho, vou sentir que toda a vida valeu a pena, porque pude vivenciar este dia perfeito.

Hoje foi esse tipo de dia.

Talvez eu esteja empolgado demais para relatar na ordem certa, além de cansado depois de um dia grandioso. Mas vou tentar.

De manhã crianças na escola, como de costume. A Greenway chega às dez. Sujeitos simpáticos. Sujeitos grandes! Um c/ cabelo moicano. Dois (!) para montar o jardim todo. Roseiras no lugar, fonte no lugar, alameda no lugar. Caminhonete com as SGS chega às três. SGS descem da caminhonete, ficam paradas timidamente perto da cerca enquanto armação instalada. Bela armação. Optei pela "Lexington" (mediana, em termos de preço): postes de bronze c/ cimos coloniais, alavancas UsoFácil.

SGS já com aventais brancos. Microfio já esticado de uma ponta a outra. SGS segurando carretel de microfio nas mãos, como alpinistas segurando corda. Só que não tem montanha (!). Uma agachada, outras em pé recatadas/nervosas, uma cheirando novas rosas. Faz aceno tímido, outra fala alguma coisa para ela, algo do tipo: Ei, não pode acenar. Mas eu aceno de volta, querendo dizer: Nesta casa, tudo bem acenar.

Médico monitora instalação, de acordo com a lei. Tão jovem! Devia era estar trabalhando na Wendy's. Diz que podemos assistir ou não ao içamento. Me olha significativamente, olha de esguelha para Pam, querendo dizer: a patroa é enjoada? Pam é um pouquinho enjoada. Às vezes não gosta de manusear frango cru. Eu digo: vamos entrar para pôr as velas no bolo.

Logo logo, batida na porta: médico diz içamento pronto.

Eu: Podemos dar uma olhada?

Ele: À vontade.

Saímos. SGS instaladas, aprox. um metro do chão, sorrindo, balançando à brisa suave. Ordem, da esquerda para a direita: Tami (Laos), Gwen (Moldávia), Lisa (Somália), Betty (Filipinas). Efeito assombroso. Ter visto tantas vezes configuração similar em jardins de outros mais ricos faz jardim da gente parecer rico de repente, e a gente se vê de um jeito diferente, como se finalmente acertasse passo com semelhantes e com tempo que está vivendo.

Laguinho ótimo. Roseiras idem. Alameda, banheira, idem. Tudo no lugar. Não podia acreditar que tínhamos conseguido tudo aquilo. Apanhei Lilly cedo na escola. Lilly toda amuada porque era aniversário dela e ninguém tinha dado parabéns no café da manhã, e também nada de festa ou de presente, e ainda por cima agora tinha que ir ao médico tomar injeção.

Porque era essa a armação.

No carro, fiz de conta que me perdi. Lilly (desanimada): Papai, como você pode se perder, se Hunneke é nosso médico desde sempre? (Pam já tinha armado a coisa com a enfermeira, que, quando finalmente "encontrei" a clínica, apareceu e disse que o médico estava doente, doente demais para dar injeção: a primeira de uma série de supersurpresas para Lilly!)

Enquanto isso, em casa: Pam, Thomas e Eva se esfalfam na decoração. Comida entregue (carne grelhada do Snakey's). Amigos chegam. Então, Lilly desce do carro e o que ela vê é o jardim todo novo cheio de todos os amigos da escola sentados em volta da nova mesa de piquenique perto da nova banheira (anotação para mim mesmo: escrever mensagem elogiando a criançada por incrível discrição/guardar segredo) e novo varal com quatro sgs, e Lilly literalmente cai no choro de felicidade!

Mais lágrimas de felicidade quando reluzentes pacotes cor-de-rosa desembrulhados, "Ferocidade em Repouso" mais "Garota Lendo para Irmãzinha" revelados. Lilly comovida que eu lembrei as estatuetas exatas. Mais "Torpor de Verão" (mistura de palhaço e vagabundo pescando (us$ 380)), que ela nem tinha pedido (só para provar nossa generosidade). Várias outras ondas de lágrimas felizes, abraços, bem na frente dos amigos, parecendo que gratidão/afeição por nós é maior que medo de pagar mico na frente dos amigos.

Convidados da festa fizeram os jogos tradicionais, cabo

de guerra etc. etc. De algum modo, brincar num jardim lindo e novo energizava as brincadeiras. Garotada alegre, agradeceram o convite, vários disseram que amaram jardim. Vários pais ficaram depois, dizendo que amaram jardim.

E, meu Deus, a expressão do rosto de Lilly depois que todo mundo foi embora! Sei que ela se lembrará para sempre do dia de hoje.

Apenas ligeiro porém: depois da festa, durante faxina, Eva sai batendo pé, agarra gato bem bruta do jeito que ela faz às vezes quando está furiosa. Gato arranha Eva, parte para cima de Ferber, mete as garras em Ferber. Ferber dispara, tromba no pé da mesa, rosas compradas para Lilly despencam em cima de Ferber.

Encontramos Eva dentro do armário.

Pam: Meu benzinho, o que foi?

Eva: Não gosto disso. Não é nada bacana.

Thomas (chegando às pressas com o gato, para mostrar que é ele que manda no gato): Elas querem, Eva. Elas tipo se inscrevem para uma vaga.

Pam: Não diga "tipo".

Thomas: Elas se inscrevem para uma vaga.

Pam: No lugar de onde elas vêm, as oportunidades não são tão boas.

Eu: Isso as ajuda a cuidar das pessoas que elas amam.

Eva virada para a parede, o lábio inferior apontando como quando ela está prestes a chorar.

Então tenho uma ideia: Vou até cozinha, folheio Declarações Pessoais. Putz. É pior do que eu pensava: laosiana (Tami) se inscreveu devido a duas irmãs que já estão em bordéis. Moldávia (Gwen) tem prima que pensou estar se tornando limpadora de janelas na Alemanha, mas não: escrava sexual no Kuwait (!). Somali (Lisa) viu pai + irmãzinha morrer de aids, na mesma minúscula choça de palha, no mesmo ano. Filipina (Betty) tem irmão mais novo "com muito talento para computadores", pais não têm condições de bancar colégio, moram num puxadinho com três outras famílias desde que seu próprio puxadinho deslizou do morro num terremoto.

Opto por "Betty", volto para armário, leio "Betty" em voz alta.

Eu: Isso ajuda? Você entende agora? Pode ao menos imaginar o irmãozinho dela, numa boa escola, graças a ela, graças a nós?

Eva: Se a gente quer ajudar, por que a gente não pode simplesmente dar o dinheiro pra elas?

Eu: Oh, minha querida.

Pam: Vamos lá olhar. Vamos ver se elas parecem tristes.

(Não parecem tristes. Na verdade, estão conversando em voz baixa ao luar.)

Na janela, Eva em silêncio. Poço profundo. Tão sensível. Mesmo quando pequenininha, Eva já sensível. Quando o gato anterior Squiggy estava morrendo, Eva dormia ao lado da cama do gato, dava água pro Squiggy com o conta-gotas do colírio. Coração bondoso. Mas eu me preocupo, Pam se preocupa: se a menina é sensível demais, a menina sai para o mundo e o mundo monta nela, quero dizer, precisa de um pouco de casca grossa, não é?

Lilly, por outro lado, escreveu todos os cartões de agradecimento esta noite numa única sentada, passou esfregão na cozinha sem ninguém pedir, depois saiu para jardim c/ lanterna, limpando área do Ferber com nova pazinha de recolher cocô que ela, pelo visto, tinha saído de bicicleta para comprar c/ próprio dinheiro no FasMart (!).

(22 de set.)

A fase feliz continua.

No trabalho, todo mundo curioso a respeito da Raspadinha premiada. Levei fotos do jardim, colei no mural, colegas passavam, admiravam. Steve Z. perguntou se podia aparecer em casa um dia desses, ver jardim pessoalmente. Isso é novidade: Steve Z. nunca tinha falado oi. Até pediu conselho: onde eu tinha comprado minha Raspadinha premiada, quantas raspadinhas eu costumava comprar, Greenaway = empresa conceituada?

Vergonha de admitir quanto isso me deixou feliz.

Na hora do almoço, fui ao shopping, comprei quatro camisas novas. Piada que corria na firma: eu só tinha duas camisas. Não era bem assim. Mas tinha três camisas azuis parecidas e duas amarelas idênticas. Daí a confusão. Geralmente não compro roupas para mim mesmo. Sempre achei que era mais importante as crianças terem roupas novas, isto é, não queria outras crianças dizendo que meus filhos só têm duas camisas etc. etc. Quanto a Pam, Pam linda, criada c/ dinheiro. Não vou querer essa beldade que já foi rica vestindo sempre mesmas roupas, pensando: quando eu era jovem, tinha tantas roupas, mas agora, devido a ele (i. e., eu), fiquei malvestida.

Correção: Pam não nasceu rica. Pai de Pam = fazendeiro em cidade pequena. Tinha maior fazenda nos arredores de cidade pequena. Então, em comparação com garotas de fazendas menores e mais pobres, Pam = garota rica. Se mesma fazenda perto de cidade maior, fazenda apenas média, mas não: cidade tão pequena, fazenda modesta = grande propriedade.

Seja como for, Pam merece o melhor.

No caminho para casa, parei na loja onde tinha comprado Raspadinha premiada. Comprei Raspadinha mais quatro Butterfingers. Pensei nos velhos tempos de vacas magras, quando, com risível camisa velha, me sentia mal/culpado comprando um Butterfinger só.

O sujeito atrás do balcão se lembrou de mim, disse: Ei, sr. Raspadinha, sr. Sorte Grande! Todo mundo na loja olhou. Acenei com os Butterfingers, dois em cada mão, como cetros, minicetros, e saí me sentindo feliz. Por que feliz? Legal vencer, ser vencedor, ser conhecido como vencedor. Voltei para casa, dei volta para espiar o jardim. Jardim estupendo: peixes vagando perto dos lírios flutuantes, abelhas zumbindo em torno das rosas, SGs com aventais brancos limpinhos, feixe de sol atravessando gramado, ciscos de poeira elevando-se c/ sensação preguiçosa de fim de verão, equipe do LifeStyleServices (i. e., pessoal da Greenway que vem 3x/dia dar água/comida para SGs, levar SGs ao banheirinho no fundo da van, tratar de problemas femininos etc. etc.) trabalhando duro no jardim.

Moça da Greenway: É meio mágico aqui atrás.

Em casa dou com Leslie Torrini (!). Isso = um espanto. Leslie nunca pisou aqui antes. Ela diz que gosta do jeito que nossas SGs pendem perto do laguinho, então se refletem no laguinho. Telefona para casa, pede laguinho. Mãe de Leslie chama Leslie de menina mimada, diz que nada de laguinho. Isso = pontos para Lilly. Não é que a gente fica feliz quando alguém não fica feliz. Mas Leslie toda hora está feliz enquanto Lilly não está feliz, então tudo bem se, uma vez na vida, Leslie = um pouquinho triste, enquanto Lilly = nas nuvens?

Meninas vão para jardim, ficam lá um tempão. Pam e eu espiamos. Meninas se entendendo bem? Meninas cochichando nas sombras das árvores, trocando intimidades de meninas, cimentando o status de Lilly como amigona de Leslie? Não dá para dizer. As meninas estão viradas para outro lado.

Chega mãe de Leslie (num BMW). Leslie e mãe de Leslie discutem brevemente s/ laguinho.

Mãe de Leslie: Les, meu amor, você já tem três regatos.

Leslie (cáustica): E um regato é o mesmo que um laguinho, Mamãe?

Leslie e mãe vão embora.

Lilly me dá um beijinho de gratidão no rosto, corre para cima cantando canção alegre.

Estou tão feliz. Sentindo tão sortudo. O que a gente fez para merecer isso? Em parte, sim: sorte. Raspadinha premiada = sorte. Mas, como reza o ditado, sorte = noventa por cento de talento. Ou será preparação? Preparação = noventa por cento de talento? Talento = noventa por cento de sorte? Não lembro direito do ditado. Seja como for, a nosso favor, administramos bem nossa sorte. Nada de ficar maluco, comprar barco, comprar drogas (!), perder as estribeiras, ficar insatisfeito, procurar amantes, ficar metido. Simplesmente olhamos bem para família, detectamos o que membro da família (Lilly) precisava, c/ discrição/humildade garantimos que ela tivesse.

Anotação para mim mesmo: Tentar estender a todas as áreas da vida os sentimentos positivos relacionados com Raspadinha premiada. Ter presença maior no trabalho. Galgar postos (alegremente, c/ sorriso no rosto), conseguir aumento. Ter vida mais saudável, passar a vestir melhor. Aprender violão? Fazer questão de perceber a beleza do mundo? Por que não aprender a respeito de pássaros, flores, árvores, constelações, me tornar verdadeiro cidadão do mundo natural, caminhar pelo bairro c/ crianças, ensinando pacientemente nomes dos pássaros, das flores etc. etc.? Por que não levar as crianças para a Europa? Elas nunca foram. Nunca estiveram nos Alpes, nunca tomaram chocolate quente em café nas montanhas, servido por amável estalajadeiro de cabelos brancos, que acha crianças tão sofisticadas/simpáticas em comparação com habituais crianças ricas/arrogantes da América (que sempre ignoram sua bonita mas aleijada filha de tranças), que mostra trilha secreta até incrível clareira, crianças fazem algazarra na clareira, sentam no gramado com menina bonita e aleijada, dizem mais tarde que foi o dia mais maravilhoso de suas vidas, mantêm contato por e-mail com menina aleijada, providenciamos cirurgia aqui para ela, cirurgião tão comovido que concorda em fazer cirurgia de graça, ela está na primeira página do nosso jornal, e nós na primeira página do jornal deles nos Alpes?

Haha.

Feliz, só isso.

Daí essas especulações fantasiosas.

(Na verdade, eu mesmo nunca estive na Europa. Papai achava porções lá pequenas demais. Então Papai perdeu emprego, virou entregador de jornais, tamanho da porção = questão controversa.)

Andei pela vida feito sonâmbulo, futuro leitor. Agora consigo ver isso. Raspadinha premiada foi como toque de despertar. Correndo me formar na faculdade, conquistar Pam, arrumar emprego, fazer filhos, ser promovido no trabalho, esqueci antigo sentimento de destino especial que costumava ter quando pequeno, sentado dentro do armário do quarto, que cheirava a cedro, contemplando as árvores ao vento através dos janelões, sentindo que um dia eu faria alguma coisa grande.

Sendo assim, resolvo viver a vida de um jeito novo e poderoso, começando NESTE MOMENTO (!)

(23 de set.)

Eva está sendo um aborrecimento.

Como já devo ter mencionado acima, Eva = sensível. Isso é bom, Pam e eu achamos: isso = sinal de inteligência. Mas Eva parece, de algum modo, ter adquirido a convicção de que sensibilidade = modo eficaz de chamar atenção, i. e., desenvolveu tendência a se afastar dos outros, possivelmente como modo de se distinguir, isto é, se destacar como melhor e mais refinada do que os outros? Em outros tempos, ela se recusou a comer carne, sentar em assentos de couro, usar garfos de plástico fabricados na China. É bem encantador quando é criancinha que faz. Mas Eva está crescida agora, será que essa tendência a objetar por princípio não começa a soar um pouco afetada + se tornar a base de como ela vê a si própria? Vida familiar em nossa época às vezes parece jogo de Bata na Toupeira, futuro leitor. Gerações futuras ainda têm isso? Toupeira de plástico emerge, você acerta com martelo, ela morre, cai, outra emerge, você martela, mata? Parece jogo estranho/violento para você, futuro leitor? Que talvez nem precisa mais comer para viver? Só levitam o dia todo, sorrindo afetuosamente uns para os outros? Às vezes parece que é um filho ficar feliz para outro "saltar da toca", isto é, registrar queixa, obrigando pai ou mãe a "martelar" filho, isto é, lidar com queixa.

Ao que parece, agora é a vez da Eva.

Hoje professora dela, sra. Ross, mandou recado para casa: Eva anda fazendo cena. Eva embirrada, Eva bateu o pé, Eva atirou pote de comida de peixe em John M. quando John M. disse que era a vez dele de dar comida a peixe. Eva não é assim, diz a sra. R.: Eva garota mais doce e amorosa da classe.

Além disso, trabalhos de artes de Eva ficaram estranhos ultimamente.

Amostra de trabalho de artes estranho anexado:

Casa típica. (Dá para ver que é a nossa casa por causa do arremedo de cerejeira = turbilhão cor-de-rosa.) No jardim, SGS com expressão carrancuda. Uma delas ("Betty") pensando no balão de história em quadrinhos: AFE! COMO ISSO MAXUCA. A segunda ("Gwen") aponta dedo longo e ossudo para a casa: GRAÇAS AOS PATRÃO. A terceira ("Lisa"), com lágrimas rolando pelo rosto: E SE EU FOSSE FIA DOCÊIS?

Pam: Bem, parece que a coisa não está passando.

Eu: Não está mesmo.

Levei Eva dar volta de carro. Rodamos por Eastridge, Lemon Hills. Mostrei casas c/ SGs. Falei para Eva ir contando. No final, de aprox. 50 casas, 39 tinham.

Eva: Então, só porque todo mundo está fazendo, quer dizer que está certo.

Que fofa. Eva repetindo frase minha, da Pam.

No cruzamento da Waddle Duck, um arranjo de oito SGs: SGs de mãos dadas, belo efeito (como fileira de bonecas recortadas no papel). Todas parecem estar cantando juntas. Três pimpolhos correndo em volta do varal, dois cachorrinhos correndo atrás dos pimpolhos.

Eu: Uau. Isso parece mesmo uma desgraça.

(Eva mordaz, Eva espirituosa. Por isso sempre brinco c/ Eva.)

Eva em silêncio.

Paramos na Sorveteria Fritz's, pedi banana split, Eva pediu SnowMelt, sentamos no grande crocodilo de madeira, ficamos vendo o sol se pôr.

Eva: Não consigo... não consigo nem entender como elas não morrem.

De repente me ocorreu, c/ pequena sensação de alívio: Eva resiste, em parte, porque não compreende a ciência básica da coisa. Perguntei a Eva se ela pelo menos sabia o que era o Caminho Semplica. Não sabia. Desenhei cabeça humana no guardanapo, expliquei: Lawrence Semplica = médico + sujeito brilhante. Encontrou jeito de passar microfio através do cérebro sem causar danos nem dor. Técnica usa lasers para traçar rota-guia. Microfio atravessa então puxado por fio de seda. Microfio entra por aqui (toquei uma têmpora de Eva), sai por aqui (toquei a outra). É muito suave, não dói, SGs ficam inconscientes durante todo o processo.

Então decidi abrir jogo c/ Eva.

Expliquei: Lilly num momento crítico. No ano que vem, Lilly vai começar o segundo grau. Mamãe e Papai querem que Lilly entre no segundo grau de cabeça erguida, como moça autoconfiante, sentindo que sua família é tão boa/abastada quanto qualquer outra família, jardim dela aprox. no nível dos jardins dos colegas, i. e., não a mixórdia que era antes, i. e., não uma fonte evidente de constrangimento para Lilly.

Isso é pedir muito?

Eva em silêncio.

Dava para ver as engrenagens se movendo em sua cabeça.

Eva era louca por Lilly, era capaz de se pôr na frente de um trem por Lilly.

Então compartilhei c/ Eva história do emprego de verão que eu tive durante colégio, no Señor Tasty's (restaurante de tacos). Era quente, ensebado, chefe malvado, chefe sempre beliscando bunda da gente com pegador de comida. Quando eu voltava para casa, cabelo sempre completamente engordurado + camisa fedendo a gordura. Hoje em dia nem pensar num emprego daqueles. Mas na época? A bem da verdade eu gostava: flertava com garçonetes, aprontava com outros empregados (escondia pegador de comida do chefe malvado, enfiava revista na cueca para que, quando chefe malvado beliscava minha bunda, não doía, chefe malvado = passado para trás).

Moral da história, disse eu, tudo é relativo. As SGs tiveram até hoje vidas muito diferentes das nossas. Vidas brutais, duras, sem esperança. O que parece assustador/desagradável para nós pode não ser tão assustador/desagradável para elas, isto é, elas viram coisa muito pior.

Eva: Você flertava com garotas?

Eu: Flertava. Não conta pra Mamãe.

Isso produziu um sorrisinho.

Acho que rompi um pouco as resistências de Eva. Espero que sim. De todo modo, contente por ter tentado. Quando Mamãe e Papai se divorciando, Papai me levou para tomar milk-shake e me deu a notícia referente ao divórcio. Sempre grato ao Papai por isso. Era bom saber que ele estava pensando em mim mesmo num momento que deve ter sido triste + sombrio para ele.

Mamãe estava tendo caso com Ted DeWitt, sujeito do trabalho. DeWitt vivia cortejando Mamãe, dizendo que ela estava bonita, dizendo que ela era a única motivação para ele levantar da cama de manhã. Mamãe nada acostumada com aquilo. Papai amava Mamãe. Mas Papai era lacônico. Papai não era de ficar tagarelando sobre seu amor. Papai amava de um jeito silencioso, constante. Para o décimo aniversário de casamento deles, Papai comprou para Mamãe lixadeira elétrica (!). Apelido carinhoso que Papai usava para Mamãe = Esticada. (Mamãe era alta.) Papai costumava brincar dizendo que Mamãe parecia garotão comprido. Entrava às vezes na cozinha e fazia de conta que tomava susto com presença de garotão comprido do lado da pia. Mamãe, fascinada por DeWitt, começou a dar escapadas a hotel com DeWitt, apaixonou-se por DeWitt. (Não sabia de nada disso na época. Só descobri anos depois, quando Papai, no fim da vida, me contou tudo.)

Quando Irmã Dolores tomou conhecimento do divórcio, reteve alunos na hora do recreio, fez para classe grande discurso sobre divórcio = pecado mortal, vida após a morte sem moleza para gente divorciada, obrigou classe toda a rezar por almas de Mamãe e Papai. Todo mundo me encarando, daquele jeito: por sua causa ficamos sem recreio.

Doeu muito, a coisa toda.

Ainda dói.

Daí meu foco em ser bom pai/marido, proporcionando base estável para crianças.

Discuti situação de Eva c/ Pam esta noite. Pam, como de costume, deu conselho sensato: Vá devagar, seja paciente, Eva é brilhante, Eva é esperta. Mais um mês e Eva adaptada, esqueceu tudo aquilo, voltou a ser menina alegre.

Amo Pam.

Pam minha rocha.

(30 de set.)
Desculpem pelo silêncio.

Coisa maluca aconteceu esta semana.

Segunda-feira morreu Todd Grassberger (!).

Futuros leitores conhecem Todd? Eu mencionei? Provavelmente não. Todd não era amigo próximo. Só colega de trabalho. Todd e eu fazíamos piada sobre eu nunca ter devolvido cabo de *fire-wire* emprestado. Na verdade, era cabo da empresa, não dele. Ele sabia, eu sabia que ele sabia. Era só nossa piada.

O dia começou ótimo. Lindo dia de verão indiano. Treinamento de incêndio pela manhã. Todo o complexo empresarial evacuado para pátio externo. Dia tão lindo, ninguém se incomodou. Todo mundo esticado em cima das muretas, trocando recomendações. Engraçado ver gente de diferentes empresas. Como ver membros de tribos diversas. NabroMax = nerds, calculando temperatura necessária para destruir, pelo fogo, complexo inteiro. Oorjd = firma de design. Tem muitos hippies, as garotas mais bonitas. Muitos caras da Oorjd deitados de costas nas muretas, contemplando as nuvens. Um sujeito tocando flauta doce.

Quando soou sirene, todo mundo vaiou, todos tristes em fila de volta para dentro.

Então, às duas, notícia se espalhou pelo escritório: Todd morreu. Ataque cardíaco na lavanderia (!), agorinha mesmo, na hora do almoço.

Tarde toda, ninguém trabalhou. Todo mundo chocado, andando de um lado para o outro, tentando absorver fato de que Todd = morto. Embaixo da mesa de Todd: par de botas de trilha. Apoiado na parede: bastão de caminhada usado por Todd em caminhadas pelo bosque na hora do almoço.

Estranha chuva com sol por volta das três.

Linda Hertney: É como uma última despedida de Todd. (Linda = maluca. Uma vez sustentou que corvo em parapeito era reencarnação de seu finado marido. Disse que sabia disso pelo jeito como cabeça do corvo estava inclinada de modo recriminador para volumoso almoço que ela estava comendo.)

Então caiu tempestade, estacionamento brilhando.

Noite toda me vi olhando sem parar para Pam, crianças. De repente tudo era precioso. Disse oração antes do jantar. Geralmente não rezo antes do jantar. Mas esta noite demos as mãos, rezamos. Rezamos que seríamos gratos por nossa boa sorte, gratos uns pelos outros. Rezamos que iríamos nos lembrar de que os vários altos/baixos que podemos enfrentar como família = pequenos tropeços comparados com isto.

Rezamos por Todd, rezamos pela família de Todd.

Outra noite mesmo Todd estava em casa, fazendo o que costumava fazer à noite: tirando moedas dos bolsos, rindo com filhos, brincando com cachorro, pensando no futuro, atirando roupa suja no cesto.

Onde estará Todd esta noite (?!).

(1º de out.)

Funeral de Todd Grassberger hoje na igreja ucraniana no centro da cidade.

Ao que parece, Todd de origem humilde.

Padre = cabeludo de batina. Canta/declama toda a missa,

em ucraniano, de cor. À medida que ele canta/caminha, corda da batina balança. Sujeito assustador. Muito intenso. Sermão: Por que a surpresa? Vocês achavam que iriam viver para sempre? Única diferença entre vocês, sentados aí antecipando o repouso da sua hora, e Todd, no caixão, a caminho do lar eterno na terra fria? As batidas do coração. Sentem isso, pessoal? No peito? É a linha tênue entre vocês e o túmulo. Então por que vocês vivem como se fossem eternos? Que tolice, como vocês são tolos. Isso é assustador? Não, não é assustador! É a verdade, é a realidade! Gritos: Vamos despertar? Vamos?

Todo mundo encarando padre de olhos arregalados. Exceto fiéis habituais, que parecem já ter ouvido tudo isso antes.

Padre prossegue: Quais de nós morrerão esta noite? Será que achamos que ele está gracejando? Isso mostra que somos uns bocós. Qualquer um de nós poderia morrer esta noite, morrer agora mesmo, de repente ficar sem ar, tombar sobre o banco da igreja, juntar-se a Todd debaixo da terra num piscar de olhos.

De repente, da cozinha no porão: cheiro de rosbife. Tagarelice alegre das mulheres da igreja lá na cozinha. Cheiro de rosbife + som de panelas, de pratos sendo postos na mesa = convidativo.

Pessoas inquietas nos bancos devido a incrível cheiro de rosbife.

Dois irmãos de Todd sobem ao púlpito, fazem homenagens.

Irmão mais velho: Todd bondoso, Todd divertido, Todd uma poderosa força em sua vida. Nunca vai esquecer a maravilha que era Todd. Irmão mais novo: Sim, Todd pessoa superforte, Todd = touro. Embora Todd pudesse ser um tanto duro, Todd fez muito bem ao irmão mais novo, a longo prazo, ensinando-lhe como se defender por conta própria. Vale dizer, tendo sido atazanado por Todd ao longo de toda a infância, nada agora pode importunar irmão mais novo, isto é, nenhum valentão do mundo exterior poderá se equiparar a Todd. Mas Todd tão formidável. Todd o melhor. Todd tão esperto, tão bonito, não admira que mãe de Todd + pai de Todd sempre tivessem deixado a ele (irmão mais novo) em segundo plano. Mas Todd tão atencioso, tão perspicaz, Todd compreendia isso, às vezes consolava irmão mais novo dizendo que ele (irmão mais novo) era ótimo a seu modo, geralmente pouco antes de romper o acordo entre eles segundo o qual a noite de quarta-feira era a vez de o irmão mais novo pegar emprestado o carro do pai, arruinando desse modo a chance do irmão mais novo de sair com garota de quem ele gostava de verdade, possivelmente o amor da sua vida, garota que ele acabou perdendo para um babaca de Selden, babaca cujo próprio irmão mais velho aparentemente era mais inclinado que Todd a dar uma boa oportunidade ao irmão mais novo no carro da família.

Irmão mais novo de Todd, sem fôlego, faz pausa no púlpito. Parece que não consegue se conter.

Vai em frente.

Mas Todd formidável, Todd tão formidável que certamente deixará saudade. Todd ensinou a todos na família lição importante: mesmo que pessoa possa ser forte, belicosa, ambiciosa, levemente cega às necessidades dos outros, isso não significa que pessoa não é mais formidável, mais incrível irmão que, ocasionalmente, como que a despeito de si próprio, surpreendendo a todos, faz alguma coisa razoavelmente prestável.

Irmão mais novo, aparentemente perplexo com seu próprio tributo, em seguida apeado do púlpito por irmão mais velho de cara feia chiando em voz baixa.

Viúva de Todd sobe ao púlpito. Parece que não consegue falar. Três garotinhas se agarram à sua saia. Viúva passa microfone para garota menor.

Garota menor: Tchau, Papai.

Almoço bom. Almoço mais do que bom. Funeral tão triste, almoço = paraíso. Como três sanduíches de rosbife seguidos em prato de papel. Do lado de fora, árvore amarela balança ao vento. Folha amarela solitária entra voando pela janela aberta do porão. Observo-a descer, aterrissar perto do meu sapato. Penso: Vida bela.

Tão feliz por não estar morto. Se/quando eu morrer, não quero Pam sozinha. Quero que case de novo, tenha vida plena. Contanto que seu novo marido seja cara legal. Cara amável. Cara religioso. Muito atencioso + bom para crianças. Mas crianças não se deixam enganar. Crianças preferem pai morto (i.e., eu) ao cara religioso. Pálido, maçante cara religioso, sem carisma, que veste suéteres bizarros e está sempre um pouco tristonho, devido não consegue ter ereção, devido problema físico.

Haha.

Morte muito presente em minha mente esta noite, futuro leitor. Como pode ser verdade? Que eu vou morrer? Que Pam, crianças vão morrer? É horrível. Por que fomos colocados aqui, tão propensos ao amor, se final da nossa história = morte? Isso é duro. É cruel. Não gosto.

Anotação para mim mesmo: tentar com mais afinco, em todas as coisas, ser pessoa melhor.

Em casa, reuni crianças. Pedi a elas que se juntassem a mim em nova resolução. Disse crianças vida é curta, devemos fazer com que cada momento tenha importância, viver cada dia como se fosse o último. Se elas têm sonho, devem realizá-lo. Se têm vontade de tentar alguma coisa, que tentem. Prometem? Se cometi um erro na vida, foi ser passivo demais. Não quero que meus filhos cometam mesmo erro. Devem ousar, batalhar, ter coragem. O que é o pior que pode acontecer? Serão conhecidos como inovadores, heróis, profetas (!). Paul Revere por acaso era tímido, Edison era cauteloso, Jesus era cheio de mesuras? No final da vida, não vão se arrepender do que fizeram, mas sim do que deixaram de fazer.

Em seguida, hora de dormir. Hora de dormir às vezes conturbada: Pam, cansada de longo dia com crianças, às vezes perde paciência com crianças c/ mínima resistência. Crianças, cansadas da escola, às vezes ficam impertinentes com Pam ao primeiro sinal de Pam perdendo paciência. Às vezes hora do boa-noite = crianças no alto da escada gritando para baixo, Pam no pé da escada gritando para cima. Às vezes livro ou sapato desce voando e passa zumbindo por Pam. Esta noite, porém, hora de dormir tranquila. Crianças, sentindo sinceridade das minhas palavras a respeito da morte, sobem em silêncio. Thomas corre de volta para me dar abraço, Eva me lança longo olhar (de admiração?) do alto da escada. Crianças tão queridas.

Um dos prazeres criar filhos, futuro leitor: pai ou mãe pode influenciar positivamente filho(a), proporcionar momento que filho(a) vai lembrar pelo resto da vida, momento que altera trajetória dele/dela, abre coração + mente dele/dela.

(2 de out.)
Merda.
Porra.
Família atingida por raio absolutamente inesperado, futuro leitor.
Explico.
Esta manhã, Thomas e Lilly sentados sonolentos à mesa, Eva ainda na cama, Pam fazendo ovos, Ferber aos pés dela, esperando cair pedaço de comida. Thomas, comendo pão bagel, vai até janela.
Thomas: Uau. Que diabo? Pai? É melhor você vir olhar.
Vou até a janela.
SGs sumiram.

Completamente (!).

Corro para fora. Varal vazio. Microfio desaparecido. Portão aberto. Corro meio freneticamente quadra acima, em busca de algum sinal delas.

Nada.

Corro de volta para dentro. Telefono para Greenway, telefono para polícia. Policiais chegam, vasculham jardim. Policial me mostra marca de polia de microfio no barro perto do portão. Diz que é boa notícia: com o microfio ainda dentro delas, mais fácil localizar SGs, visto microfio limita velocidade com que podem caminhar, já que, fugindo em grupo, ligadas cabeça a cabeça pelo microfio, são obrigadas a dar passos miúdos, de modo que uma não possa ficar atrás/à frente das outras, causando puxão brusco do microfio, puxão que poderia danificar cérebro da atingida.

Outro policial diz que sim, seria esse o caso se SGs a pé.

Mas, fala sério, diz ele, SGs não a pé, SGs em van de ativistas em algum lugar, dando risada de nós.

Eu: Ativistas?

Primeiro policial: É, você sabe: Women4Women, Cidadãos pela Paridade Econômica, Apodreça no Inferno Semplica.

Segundo policial: Quarto incidente este mês.

Primeiro policial: Essas garotas não desceram sozinhas.

Eu: Por que elas fariam uma coisa dessas? Elas escolheram estar aqui. Por que iriam se mandar com algum completo...

Policiais riem.

Primeiro policial: Farejando o tal sonho americano, baby.

Crianças mais do que agitadas. Crianças amontoadas perto da cerca.

Ônibus da escola vem e vai.

Chega representante da Greenway (Rob). Rob = alto, magro, curvado. Parece um arco de atirar flecha, se arco de atirar flecha tivesse orelha furada + cabelo comprido de pirata e vestisse coletinho de couro.

Rob solta imediatamente a bomba: diz que lamenta ser um tanto duro neste momento de infortúnio, mas é obrigado legalmente a nos informar que, de acordo c/ nosso contrato c/ Greenway, se SGs não forem encontradas no prazo de três semanas, ficaremos responsáveis por pagamento integral do necessário Débito de Reposição.

Pam: Espere aí, do o quê?

Segundo Rob, Débito de Reposição = US$ 100/mês, por indivíduo, referentes a cada mês ainda restante em seu contrato c/ Greenway no momento da perda (!). Betty (21 meses restantes) = US$ 2.100; Tami (13 meses) = US$ 1.300; Gwen (18 meses) = US$ 1.800; Lisa (34 meses (!)) = US$ 3.400.

Total = US$ 2.100 + US$ 1.300 + US$ 1.800 + US$ 3.400 = US$ 8.600.

Pam: Putaquepariu.

Rob: Acreditem, eu sei, é um dinheirão, eu sou originalmente um cantor e compositor, ok? Mas a nossa posição num caso desses — ou melhor, a posição deles, da Greenway, é a de que nós — ou eles — fizeram um investimento inicial e, vejam bem, obviamente, isso não foi barato, em termos de vistos, passagens aéreas e tudo mais?

Pam: Ninguém nos falou nada a respeito disso.

Eu: Nadinha.

Rob: Ahn. Quem foi mesmo que fechou o contrato com vocês?

Eu: Melanie?

Rob: Certo, bem, eu tinha um pressentimento. Com Melanie, Melanie às vezes precipitava as coisas para fechar logo o negócio. Especialmente com gente do Grupo A, que é antes de tudo cafona. Sem ofensa. Seja como for, foi por isso que ela caiu fora. Se vocês quiserem brigar com ela, vão à Home Depot; ela é a subencarregada do setor de tintas, provavelmente espremendo os miolos para descobrir qual cor é qual.

Fico furioso, me sinto violentado: alguém entrou no jardim na calada da noite, crianças dormindo perto dali, e roubou? Roubou de nós? Roubou US$ 8.600, mais custo inicial das SGS (aprox. US$ 7.400)?

Pam (para policial): Com que frequência vocês as encontram?

Primeiro policial: Quem?

Pam encara policial. (Pam = feroz defendendo família.)

Segundo policial: Honestamente? Devo dizer que é muito raro.

Primeiro policial: Para não dizer nunca.

Segundo policial: Bem, até hoje nunca.

Primeiro policial: Certo. Mas sempre tem uma primeira vez.

Policiais vão embora.

Pam (para Rob): E o que acontece se não pagarmos?

Eu: Não temos como pagar.

Rob desconfortável, Rob ficando vermelho.

Rob: Bem, isso seria uma questão para o Jurídico.

Pam: Vocês nos processariam?

Rob: Eu não. Eles processariam. Quero dizer, é o que eles fazem. Eles — qual é mesmo a palavra? —, eles arrastam suas...

Pam (bruscamente): Arrestam.

Rob: Sinto muito. Sinto muito por tudo isso. Ah, Melanie, vou torcer o seu pescoço usando essa sua estúpida trança. Brincadeira, eu nunca nem falo com ela. Mas o fato é o seguinte: tudo isso está no contrato de vocês. Vocês leram o contrato, certo?

Silêncio.

Eu: Bom, a gente estava meio na correria. Estávamos preparando uma festa.

Rob: Ah, claro, eu me lembro dessa festa. Foi uma festa e tanto. Todos nós comentamos o assunto.

Rob vai embora.

Pam lívida.

Pam: Quer saber? Fodam-se. Que processem. Não vou pagar. Isso é obsceno. Podem ficar com a droga da casa.

Lilly: A gente vai perder a casa?

Eu: A gente não vai perder a...

Pam: Você acha mesmo? O que você acha que acontece se você deve nove paus pra alguém e não pode pagar? Suspeito que a gente vai perder a casa.

Eu: Olha, vamos nos acalmar, também não precisamos...

Lábio inferior de Eva apontando no jeito pré-choro. Eu penso: ah, ótimo, que pais formidáveis, discutindo + falando palavrão + invocando fantasma da perda da casa na frente de menina tensa ao extremo já aturdida pelos acontecimentos perturbadores do dia.

Então Eva cai no choro, começa a murmurar perdão perdão perdão.

Pam: Oh, meu bem, eu estava sendo uma boba, não vamos perder a casa. A Mamãe e o Papai nunca vão deixar que isso...

Uma luz se acende na minha cabeça.

Eu: Eva. Você não fez isso.

Expressão nos olhos de Eva diz: Eu fiz.

Pam: Fez o quê?

Thomas: A Eva fez isso?

Lilly: Como é que a Eva pode fazer uma coisa dessas? Ela só tem oito anos. Não posso nem imaginar...

Eva nos leva para fora, nos mostra como fez a coisa: Arrastou escadinha, subiu escadinha junto a uma das pontas do microfio, soltou alavanca UsoFácil esquerda, microfio pendeu frouxo. Então Eva arrastou escadinha para outro lado, soltou alavanca

UsoFácil direita. A essa altura, microfio completamente solto, SGs de pé no chão.

SGs confabulam rapidamente.

E lá vão elas, livres.

Fico furioso. Eva fez tremenda bagunça aqui. Tremenda bagunça para nós, claro, mas também para SGs. Onde estão elas agora? Num bom lugar? Por acaso é bom quando fugitivas ilegais em terra estranha não têm dinheiro, nem comida, nem água, e são obrigadas a se esconder no mato, no pântano etc., conectadas por microfio como turma de detentos acorrentados uns aos outros? Quanto a Thomas e Lilly, acham divertido passar a perna nos pais? Lembro de como Thomas foi até janela, fingiu grande surpresa com sumiço de SGs. Thomas = traiçoeiro nojento. Quanto a Lilly: Fizemos tanto pelo aniversário dela, e é assim que ela agradece?

Fervendo de raiva. Sem perceber falo em voz alta pensamentos acima.

As crianças ficam estupefatas. Nunca me viram tão bravo.

Thomas: Papai, a gente não sabia!

Lilly: Não sabíamos mesmo, sinceramente!

Thomas, puxando o próprio cabelo, corre para fora. Lilly cai no choro, sai da sala batendo o pé, puxando Eva (aturdida) pela mão.

Eva (abatida, para mim): Mas você falou, você falou aquilo, aquela coisa de ser valente...

Anotação para futuras gerações: às vezes, em nossa época, famílias entram em zona sombria. Família sente: somos perdedores, tudo o que fazemos dá errado. Pais brigam em altos brados, culpando um ao outro por situação desastrosa. Pai chuta parede, faz buraco na parede perto geladeira, família pula almoço. Tensão elevada demais para todos sentarem mesma mesa. Isso intolerável. Isso faz a pessoa (pai) pôr em dúvida valor de empreendimento, i. e., faz pai (eu) se perguntar se não seria melhor humanos viverem sozinhos, individualmente, no mato, cuidando da própria vida, sem amar ninguém.

Hoje dia assim para nós.

Me precipitei para garagem. Estúpida mancha de esquilo/camundongo ainda lá depois de todas essas semanas. Decidi enfrentar mancha de uma vez por todas. Usei alvejante + mangueira para erradicar. Na calma que se seguiu, sentado no carrinho de mão, tive que rir da situação. Raspadinha premiada, maior golpe de sorte da vida, logo convertido em maior fiasco da vida.

Riso se transformou em lágrimas.

Péssimo por coisas duras que tinha acabado de dizer às crianças.

Pam saiu, perguntou se eu estava chorando. Disse não, era só poeira que tinha entrado nos olhos durante limpeza da garagem. Pam não acreditou. Pam me deu pequeno abraço de lado + cutucão no quadril, para dizer: Você estava chorando, tudo bem, é um momento difícil, eu sei.

Pam: Vamos para dentro. Vamos fazer as coisas voltarem ao normal. A gente vai superar isso. As crianças estão arrasadas, sentindo-se péssimas.

Entramos.

Crianças na mesa da cozinha.

Dava para ver nos olhos que estavam ansiosas para perdoar e ser perdoadas. Lilly e Thomas não sabiam. Disse que sabia que eles não sabiam, não sei por que tinha dito que achava que sabiam.

Abri braços, Thomas e Lilly correram para mim.

Eva permaneceu sentada.

Quando Eva pequenininha, tinha cabeleira de cachos pretos. Ficava em pé no sofá, comendo cereais na caneca de café, dançando com música dentro da cabeça, balançando cordinha das persianas.

Agora isto: Eva sentada c/ cabeça entre mãos, como velha senhora de coração partido, pranteando perda de doce pássaro da juventude etc. etc.

Me aproximei, ergui Eva da cadeira.

Pobrezinha tremendo nos meus braços.

Eva (sussurrando): Eu não sabia que a gente ia perder a casa.

Eu: A gente não vai. Não vai perder a casa. Mamãe e eu vamos dar um jeito.

Mandei crianças ver TV.

Pam: Então. Quer que eu ligue para o meu pai?

Eu não queria Pam ligando para pai de Pam.

Primeiro nome do Pai de Pam = Rich. Na verdade, chama a si próprio de "Fazendeiro Rich". Engraçado porque ele é, justamente, fazendeiro rico. Fazendeiro Rich = muito rico + muito severo. Quanto a mim, não gosta de mim. Disse várias vezes que eu: 1) não sou trabalhador esforçado e 2) devia cuidar melhor do meu peso e 3) devia cuidar melhor dos meus cartões de crédito. Fazendeiro Rich em ótima forma, sem cartões de crédito. Fazendeiro Rich não é fã de SGs. Despejou sermão em todo mundo no último Natal: acha que ter SGs = "atitude exibicionista". Acha qualquer coisa divertida = "atitude exibicionista". Até mesmo ir ao cinema = atitude exibicionista. Levar carro para lavar, i.e., não lavar por conta própria, na garagem = atitude exibicionista. Uma vez, em visita, me olhou de jeito dúbio quando do eu disse que tinha que fazer tratamento de canal. O quê?, pensei, tratamento de canal = atitude exibicionista? Mas não: só desaprovava dentista que eu tinha escolhido, devido tinha visto comercial de dentista na TV, achava que dentista ter comercial de TV = atitude exibicionista.

Portanto não queria Pam ligando para Fazendeiro Rich.

Digo a Pam que devemos fazer o máximo para lidar com situação por nossa própria conta.

Pegamos faturas, fizemos simulação de pagamento: Se pagássemos hipoteca, conta de aquecimento, AmEx, mais US$ 200 em contas atrasadas, ficaríamos próximos de zero (sobrando US$ 12,78). Se deixássemos de pagar AmEx + Visa, isso nos liberaria US$ 880. Se, além disso, adiássemos pagamento da hipoteca, da conta da NiMo, do seguro de vida, ainda assim só conseguiríamos liberar total de míseros US$ 3.100.

Eu: Merda.

Pam: E se eu mandar um e-mail para ele? Você sabe. Só para ver o que ele diz.

Pam em cima mandando e-mail para Fazendeiro Rich enquanto escrevo.

(6 de out.)

Vou pular descrição do trabalho. Trabalho não é importante agora. Quando cheguei em casa, Pam de pé na entrada c/ e-mail do Fazendeiro Rich.

Fazendeiro Rich = filho da mãe.

Vou transcrever uma parte:

Vamos falar agora sobre o que vocês pretendem fazer com o dinheiro pedido. Vão guardar num fundo para os estudos universitários? Não vão. Vão investir em imóveis? Não. Tendo recebido a chance de plantar algumas sementes, vocês jogaram essas sementes valiosas (dólares) no ralo. E para quê? Para um espetáculo que alguns acham bonito. Bom, eu não acho bonito. Vejo os jovens aqui fazendo a mesma coisa. Velhos também. E é tão sem sentido aqui como aí. Desde quando gente posta em exibição é uma visão desejável? Outros aqui são benfeitores na nossa igreja e mencionam condições de pobreza. Ok, isso é ótimo. Mas ao que parece vocês logo terão uma situação de pobreza dentro da sua própria casa. E "médico, cura a ti mesmo" é um lema do qual sempre me lembro quando sou tentado a meter meu bedelho em alguma causa social ou de outro tipo. Se bem que eu não sou contra deixar de quando em quando um pernil no nosso lar de mulheres violentadas. Então vou dizer não. Vocês se puseram sozinhos numa enrascada e agora devem sair dela sozinhos, ensinando a seus filhos (e a vocês mesmos) uma valiosa lição da qual, a longo prazo, vocês e os seus vão se beneficiar.

Eu: Putz!

Pam ligou para Fazendeiro Rich, implorou a Fazendeiro Rich. Fazendeiro Rich esculachou Pam no telefone por causa dinheiro, por causa toda nossa história com dinheiro, i.e., toda nossa postura de vida = desperdício. Fazendeiro Rich disse para não pedirmos de novo. Tínhamos despencado no seu conceito devido a movimento inicial estúpido + subsequente demonstração desesperada de soberba na tentativa de retificar o movimento inicial estúpido de maneira idiota.

Então isso = isso.

Longo silêncio.

Pam: Santo Deus. Isso não é a nossa cara?

Não sei o que ela quer dizer. Ou melhor, sei, mas não concordo. Ou melhor, concordo, mas preferia que ela não dissesse. Por que dizer? Dizer é negativo, faz com que a gente se sinta mal.

Digo que talvez devamos simplesmente confessar o que Eva fez, e esperar pela misericórdia da Greenway.

Pam diz que não, não, não: pesquisou na internet hoje: libertar sGs = delito grave (!). Não acha que eles processariam menina de oito anos, mas mesmo assim... Se confessarmos, isso vai para ficha de Eva? Eva obrigada a fazer acompanhamento psicológico? Isso vai para ficha? Eva pensa: Sou menina má? Começa a reforçar lado mau, zanzar com delinquentes, desconfiando de toda noção de ação produtiva, não desenvolve todo o potencial, tudo por causa de erro que cometeu quando criança? Não.

Não dá para arriscar.

Pam e eu discutimos, concordamos: temos que ser como devoradores de pecados que, em tempos antigos, comiam pecados. Ou corpos dos pecadores? Comiam corpos dos pecadores que tinham morrido? Não lembro exatamente o que devoradores de pecados faziam. Mas Pam e eu concordamos: seremos como devoradores de pecados no sentido de: faremos tudo para proteger Eva, deixar policiais por fora a todo custo, violaremos lei se preciso.

Pam me pergunta: ainda estou escrevendo em caderno? Caderno não é = documento legal? Escrevi em caderno sobre Eva, sobre papel de Eva nos acontecimentos? Caderno não pode ser prova de culpa de obstrução da justiça? Eles não podem intimar caderno? Será que eu não deveria parar de escrever no caderno, expurgar de páginas comprometedoras? Esconder caderno? Jogar em buraco que abri na parede com chute outro dia? Melhor ainda: destruir caderno?

Digo a Pam que adoro escrever no caderno, não quero parar de escrever, destruir caderno.

Pam: Bom, isso é com você. Mas, para mim, não vale a pena.

Pam esperta. Pam excelente juíza de situações. Pensando e repensando no assunto. (Se caderno silenciar, futuro leitor saberá que eu (mais uma vez!) decidi que Pam = certa.)

Meu palpite, minha esperança: policiais têm muitos casos similares, somos peixe pequeno, nosso caso = baixa prioridade, tudo isso vai se dissipar em pouco tempo.

(8 de out.)
Errado. Errado de novo. Não está se dissipando.
Explico.
Trabalhei dia todo.
Dia normal e tedioso.

Será que futuro leitor pode imaginar agonia de mourejar em dia normal e tedioso quando tudo o que eu queria era correr para casa, traçar c/ Pam estratégia para situação de Eva, apanhar Eva na escola, dar grande abraço em Eva, dizer a Eva que tudo vai ficar bem, garantir a Eva que, ainda que não aprovemos o que ela fez, ela será sempre nossa menina, será sempre a menina dos nossos olhos?

Mas, nesta vida, papai tem que fazer o que tem que fazer. Atolado o dia todo.

Depois caminho habitual para casa: zona de revendedoras de carros usados, zona de pedreiras, longa faixa de via expressa com vista para apartamentos ruins c/ roupas no varal, trecho relativamente bucólico com cemitério de pioneiros, antigo shopping center arruinado.

E então nossa casinha + jardim triste e vazio.

Um sujeito em pé no portão dos fundos.

Cheguei perto, conversei com sujeito.

Sujeito = Jerry. É detetive (!) encarregado do nosso caso. Ativistas = alta prioridade para cidade, diz ele, prefeito determinado a emitir sinal forte (!). Diz que sabe que estamos na pior em termos de dinheiro, acha que rábulas da Greenway merecem ser fervidos em óleo. Ele próprio é homem de parcos recursos, diz, é um homem de família, sabe o quanto ficaria perturbado se devesse US$ 8.600 a grande corporação sem rosto. Mas sem motivo para pânico, ele topa a parada. Não vai descansar até encontrar ativistas. Tem ativistas em baixa conta. Será que eles acham que estão fazendo coisa nobre? Não estão. SGs se tornam imigrantes ilegais, tiram empregos de "americanos legítimos". Jerry é muito contra. Pai de Jerry veio da Irlanda de navio, vomitando travessia toda, depois preencheu formulários exigidos. Isso = jeito certo, acredita Jerry.

Haha, diz ele.

Sorri, enxuga boca.

Jerry é tagarela. Antes de se tornar policial, era professor. Muito contente por não dar aulas mais. Alunos eram moleques malcriados. Mais malcriados a cada ano. Nos últimos anos ele só aguardou a oportunidade, esperando para ser esfaqueado ou baleado por algum moleque. Coisas foram piorando à medida que garotos ficavam mais escuros. Se é que eu entendia o que ele queria dizer. Não tem nada contra gente escura, mas tem sim contra gente escura que se recusa a trabalhar e a aprender direito a língua e prega peças maldosas nos professores. Quando ele era garoto, jamais pensaria em colocar perereca dentro da Diet Coke de um dos professores mais dedicados da escola. Tinha quase certeza escurinho tinha feito aquilo, já que quase todos os seus alunos eram escurinhos. Nunca foi pessoalmente esfaqueado, mas tem certeza de que acabaria sendo, por um ou outro garoto escuro. Para qualquer moleque atrevido o bastante para colocar perereca na bebida do professor, céu é limite, i.e., esfaquear = próximo passo lógico.

Garotos são assim mesmo, digo.

Sim e não, diz Jerry. Garotos = futuros adultos. O que vale para estes tem que valer para aqueles. Uma vez vi um filme sobre filhote de leão criado sem controle: leão cresceu, comeu próprio dono. Por isso, mão firme igualmente importante com garotos.

Jerry ultimamente solitário, diz ele. Esposa morreu recentemente. Não imaginava ela morrendo primeiro. Sempre foi a saudável do casal. Agora ele está meio perdido. Ela sempre foi fiapo de gente, mesmo na melhor forma. Perto do fim, tinha quase sumido. Agora nunca tem pressa de voltar para casa. Casa tão silenciosa desde que ela partiu. Não tem netos, pois nunca teve filhos, já que esposa tinha óvulos problemáticos. Por isso tinha tempo de sobra para dedicar ao nosso caso. Alguma coisa não cheira bem aqui, diz Jerry. Não parece serviço típico de ativistas. Ativistas geralmente deixam recado: Apodreça no Inferno Semplica deixa uma bandeira vermelha. Women4Women deixa manifesto + fita gravada com SGs enumerando coisas que família fez para ofendê-las/incomodá-las durante tempo no jardim. Ativistas frequentemente têm médico como parte da equipe, para remover microfios antes de SGs entrarem na van. No entanto, policiais acharam marcas de microfio arrastado perto do portão, indicando que SGs fugiram a pé, ainda com microfio?

Não faz sentido.

Jerry acha que aí tem coisa.

Mas não se preocupe, diz Jerry: ele está aqui "pelo tempo que for preciso".

Por enquanto, vai sentar no jardim por um tempo. É assim que ele procede às vezes: vai "entrar na cabeça do criminoso".

Jerry pigarreia, vai capengando para jardim.

Entro em casa. Conto tudo a Pam.

Pam e eu ficamos na janela observando Jerry.

Thomas: Quem é esse?

Eu: Só um sujeito.

Pam: Não vá lá fora. Não converse com ele nem nada.

Lilly: Ele está no nosso jardim e não temos permissão para falar com ele?

Eu: Sim. Isso mesmo.

É quase meia-noite enquanto escrevo. Jerry ainda está no jardim (!). Jerry fumando, Jerry cantarolando de boca fechada a mesma frase musical irritante de quatro notas. Ouço do quarto de hóspedes + sinto cheiro do seu cigarro. Tenho vontade de ir lá, mandar Jerry sair do jardim. Dizer: Jerry, aqui = nosso jardim. Nossos filhos dormindo, têm escola amanhã, se você acordá-los com seu murmúrio vão ter dia duro/sonolento na escola. Além disso, Jerry, não permitimos cigarro dentro ou perto de casa. Mas não posso.

Não devo indispor Jerry nem de leve.

Meu Deus.

Lar em queda livre, futuro leitor. Tudo caótico. Crianças, percebendo tensão, brigam o dia todo. Depois do jantar, Pam pegou crianças assistindo *Eu, Gropius* (proibido) = programa em que um sujeito decide com que garota vai sair apalpando seios das candidatas através de biombo com dois buracos. (Não chega a mostrar seios. Só expressões do sujeito ao apalpá-los e expressão da garota enquanto ele apalpa, e depois expressão da garota quando ele anuncia nota. Ainda assim: programa ruim.) Pam se irritou com crianças: Estamos no período mais difícil da história da família, isso é modo de se comportar?

Quando crianças nasceram, Pam e eu deixamos tudo de lado (sonhos juvenis de viagem, aventura etc. etc.) para ser bons pais. Não tem sido vida excitante. Está mais para enfadonha. Muitas noites, com tarefas atrasadas, fiquei acordado até tarde, exausto, fazendo tarefas. Em muitas ocasiões, desgrenhados + cansados, cocô e/ou vômito na nossa camisa ou blusa, um dos dois ficava sorrindo exausto/aborrecido para câmera que o outro segurava, cabelos desarrumados porque corte caro, óculos fora de moda escorregando pelo nariz porque nunca havia tempo para mandar ajustar.

E depois de tudo isso, olhe só em que pé estamos.

É muito azar.

Agora acabo de percorrer o corredor para checar as crianças. Thomas dormindo c/ Ferber. Não é permitido. Eva na cama c/ Lilly. Não é permitido. Eva, origem de toda a confusão, dorme como bebê. Tive vontade de acordar Eva, dizer a ela que tudo vai acabar bem, ela tem bom coração, só é imatura + confusa. Não fiz isso.

Eva precisa de repouso.

Na escrivaninha de Lilly: cartaz no qual ela estava trabalhando para "Dia das Coisas Favoritas" na escola. Cartaz = foto de cada SG, mais mapa de país de origem, mais histórias que Lilly aparentemente ouviu durante entrevista (!) com cada uma: Gwen (Moldávia) = muito durona, devido à juventude na Moldávia: usou lençóis ensanguentados encontrados no lixo + fita adesiva de encanamentos para fazer bola de futebol, e então, depois de muita prática com bola de lençol ensanguentado, quase formou equipe olímpica (!). Betty (Filipinas) tem filha que, ao nadar, às vezes cavalga sobre casco de tartaruga marinha. Lisa (Somália) viu uma vez leão sobre teto do caminhãozinho do tio. Tami (Laos) tinha búfalo-asiático de estimação, búfalo-asiático pisou no seu pé, agora Tami precisa usar sapato especial. "Curiosidade": nomes delas (Betty, Tami et al.) não são nomes verdadeiros. Esses = nomes SG, dados pela Greenway na chegada. "Tami" = Januka = "raio alegre de sol". "Betty" = Nenita = "abençoada-amada". "Gwen" = Evgenia. (Não sabe o que esse nome significa.) "Lisa" = Ayan = "viajante feliz".

SGs não saem da minha cabeça esta noite, futuro leitor.

Onde elas estão agora? Para onde foram?

Simplesmente não entendo.

Vem carta, família comemora, garota derrama lágrimas, arruma estoicamente mala, pensa: preciso ir, sou única esperança da família. Faz cara de corajosa, promete que vai voltar tão logo acabe o contrato. Sua mãe sente, seu pai sente: não podemos deixá-la ir. Mas deixam. Precisam deixar.

Cidade inteira acompanha garota até estação de trem/rodoviária/embarcadouro? Grupo segue em van de cores brilhantes até minúsculo aeroporto regional? Mais lágrimas, mais juras. Enquanto trem/balsa/avião se afasta, ela lança último olhar amoroso para montanhas/rio/mina/cabanas, o que for, i.e., tudo o que ela conheceu até então no mundo, dizendo a si mesma: não tenha medo, você vai voltar, & voltar em triunfo, c/ grande sacola de presentes etc. etc.

E agora?

Sem dinheiro, sem documentos. Quem vai remover microfio? Quem vai lhe dar emprego? Quando for procurar trabalho, precisará arranjar cabelo de modo a cobrir cicatrizes dos Pontos de Inserção. Quando tornará a ver sua casa + família de novo? E por que o faria? Por que teria arruinado tudo, deixando nosso jardim? Podia ter passado boa temporada conosco. O que ela estava buscando neste mundo de Deus? O que ela podia querer tanto que a fez embarcar nessa aventura desesperada?

Jerry acabou de encerrar expediente.

No jardim, armação vazia do varal, parecendo estranha à luz da lua.

Anotação para mim mesmo: ligar para Greenway, mandar levar coisa feia embora.

De volta para casa

1.

Como nos velhos tempos, saí do riacho seco atrás da casa e dei minha batidinha na janela da cozinha.

"Entre aqui, você", disse a Mãe.

Dentro havia pilhas de jornais sobre o fogão, pilhas de revistas nos degraus da escada e um grande feixe de cabides despontando do forno quebrado. Tudo como de costume. A novidade era: uma mancha de umidade no formato de uma cabeça de gato acima da geladeira e o velho tapete laranja enrolado no meio do caminho.

"Ainda não tenho uma 'p' de uma faxineira", disse a Mãe.

Olhei para ela, achando graça.

"Uma 'p'?", perguntei.

"Ora, vá se 'f'", disse ela. "Eles pegam no meu pé lá no trabalho."

Era verdade que a Mãe tinha uma tremenda boca suja. E estava trabalhando numa igreja agora, portanto...

Ficamos parados, em pé, olhando um para o outro.

Então um sujeito veio descendo a escada com passos pesados: mais velho até do que a Mãe, só de cueca e botas de caminhada e um gorro de inverno, com um longo rabo de cavalo caindo sobre as costas.

"Quem é esse?", perguntou ele.

"Meu filho", respondeu a Mãe, timidamente. "Mikey, este é Harris."

"Qual foi a pior coisa que você fez por lá?", disse Harris.

"O que aconteceu com Alberto?", perguntei.

"Alberto deu no pé", disse a Mãe.

"Alberto mostrou que é um cuzão", disse Harris.

"Não tenho nada contra aquele 'm'", disse a Mãe.

"Eu tenho uma porção de coisas contra aquele porra", disse Harris. "Incluindo o fato de que ele me deve dez paus."

"O Harris não está nem aí com a boca suja", disse a Mãe.

"Ela só regula isso por causa do trabalho", explicou Harris.

"O Harris não trabalha", disse a Mãe.

"Bom, se eu trabalhasse, não seria num lugar que me dissesse como eu tenho que falar", disse Harris. "Seria num lugar que me deixasse falar como eu quisesse. Um lugar que me aceitasse como eu sou. Esse é o tipo de lugar onde eu gostaria de trabalhar."

"Não tem muito lugar desse tipo por aí", disse a Mãe.

"Lugares que me deixem falar o que eu quero?", disse Harris. "Ou lugares que me aceitem como eu sou?"

"Lugares onde você gostaria de trabalhar", disse a Mãe.

"Quanto tempo ele vai ficar aqui?", perguntou Harris.

"O tempo que ele quiser", disse a Mãe.

"Minha casa é sua casa", Harris disse para mim.

"A casa não é sua", disse a Mãe.

"Dê um pouco de comida pro garoto, pelo menos", disse Harris.

"Vou dar, mas não foi ideia sua", disse a Mãe, e nos tocou para fora da cozinha.

"Uma dona e tanto", disse Harris. "Passei anos de olho nela. Então Alberto caiu fora. Não entendo isso. Você tem uma tremenda dona na sua vida, então ela fica doente e você cai fora?"

"A Mãe está doente?", perguntei.

"Ela não te contou?", disse ele.

Fez uma careta, fechou o punho, bateu com ele na parte de cima da cabeça.

"Um caroço", disse ele. "Mas você não ouviu isso de mim."

A Mãe agora estava cantando na cozinha.

"Espero que pelo menos você esteja fazendo bacon", gritou Harris. "Um garoto que volta pra casa merece uma droga de um bacon."

"Por que você não fica na sua?", a Mãe gritou de volta. "Você acabou de conhecer ele."

"Eu amo ele como meu próprio filho", disse Harris.

"Que declaração ridícula", disse a Mãe. "Você odeia o seu filho."

"Eu odeio ambos os meus filhos", disse Harris.

"E odiaria sua filha se vocês algum dia se encontrassem", disse a Mãe.

Harris sorriu radiante, como que comovido pelo fato de a Mãe conhecê-lo bem o bastante para saber que ele odiaria inevitavelmente qualquer filho que porventura tivesse.

A Mãe entrou com uma porção de bacon e ovos num pequeno prato.

"Pode ter um ou outro fio de cabelo", disse ela. "Ultimamente parece que estou perdendo esses cabelos 'f' da 'p'."

"Você é muito bem-vindo", disse Harris.

"Você não faz 'p' nenhuma", disse a Mãe. "Não queira ganhar crédito. Vai lá e lava a louça. Isso ajudaria."

"Não posso lavar louça e você sabe disso", disse Harris. "Por causa da minha alergia."

"Ele tem alergia à água", disse a Mãe. "Agora pergunte por que ele não pode enxugar os pratos."

"Por causa das minhas costas", disse Harris.

"Ele é o Rei do Se", disse a Mãe. "Rei do Fazer de Verdade é que ele não é."

"Assim que ele for embora vou te mostrar do que é que eu sou rei", disse Harris.

"Oh, Harris, essa foi demais, foi nojenta de verdade", disse a Mãe.

Harris ergueu as duas mãos sobre a cabeça como se dissesse: Vencedor e atual campeão.

"Vamos te colocar no teu velho quarto", disse a Mãe.

2.

Em cima da minha cama havia um arco de caça e uma capa roxa de Halloween com uma máscara de fantasma embutida.

"Isso é coisa do Harris", disse a Mãe.

"Mãe", disse eu. "Harris me contou."

Fechei o punho, bati no alto da cabeça.

Ela me lançou um olhar vazio.

"Ou talvez eu não tenha entendido bem", eu disse. "Caroço? Ele disse que você tem um..."

"Ou talvez ele seja um mentiroso 'fdp'", disse ela. "Ele inventa coisas malucas sobre mim o tempo todo. É tipo o hobby dele. Ele disse ao carteiro que eu tinha uma perna mecânica. Contou para a Eileen da delicatéssen que um dos meus olhos era de vidro. Disse ao cara da loja de material elétrico que eu tinha desmaios e espumava pela boca cada vez que ficava furiosa. Agora o tal cara sempre tenta se livrar de mim o mais rápido possível."

Para me mostrar como estava em forma, a Mãe fez uma série de polichinelos.

Harris batia os pés escada cima.

"Não vou dizer a ele que você me falou sobre o caroço", disse a Mãe. "E você não diz que eu contei que ele é um mentiroso."

Agora aquilo estava parecendo os velhos tempos.

"Mãe", eu disse, "onde Renee e Ryan estão morando?"

"Ahn", disse a Mãe.

"Eles têm uma casa bacana", disse Harris. "Nadando em dinheiro."

"Não sei se essa é a melhor ideia", disse a Mãe.

"Sua mãe acha que Ryan é um agressor."

"Ryan é um agressor", disse a Mãe. "Eu sempre sei quando um sujeito é um agressor."

"Ele bate?", perguntei. "Ele bate na Renee?"

"Você não ouviu isso de mim", disse a Mãe.

"É bom ele não começar a bater naquele bebê deles", disse Harris. "Martney, aquele docinho. Supergracinha."

"Se bem que vou te contar: que 'p' de nome é aquele?", disse a Mãe. "Eu disse isso pra Renee. Disse mesmo."

"É nome de menino ou de menina?", perguntou Harris.

"Que 'p' você está dizendo?", disse a Mãe. "Você viu o bebê. Pegou no colo."

"Parece um elfo", disse Harris.

"Mas um elfo menino ou menina?", perguntou a Mãe.

"Olha só. Ele não sabe mesmo."

"Bom, estava de roupa verde", disse Harris. "Isso não me ajuda."

"Pense", disse a Mãe. "O que a gente comprou para o bebê?"

"Você achou que eu ia saber se era menino ou menina", disse Harris. "Afinal, era meu netinho ou netinha."

"Não é seu neto coisa nenhuma", disse a Mãe. "Compramos um barco pra ele."

"Um barco pode ser para meninos ou meninas", disse Harris. "Não seja preconceituosa. Uma menina pode adorar um barco. Assim como um menino pode adorar uma boneca. Ou um sutiã."

"Bom, a gente não comprou pra ele uma boneca nem um sutiã", disse a Mãe. "A gente comprou um barco."

Desci, peguei a lista telefônica. Renee e Ryan moravam na Lincoln. Na Lincoln, 27.

3.

O número 27 da Lincoln ficava na parte boa do centro. Quase não acreditei na casa. Quase não acreditei nas torres. O portão dos fundos era de sequoia e se abriu tão suavemente que parecia ter dobradiças hidráulicas.

Quase não acreditei no jardim.

Me agachei atrás de uns arbustos junto à varanda cercada por tela. Dentro, algumas pessoas estavam conversando: Renee, Ryan, os pais de Ryan, ao que parecia. Os pais de Ryan tinham vozes sonoras/confiantes que pareciam ter sido fabricadas a partir de vozes anteriores menos sonoras/confiantes, por obra de uma fortuna repentina.

"Você pode dizer o que quiser de Lon Brewster", disse o pai de Ryan. "Mas Lon apareceu e me resgatou da Feldspar naquela vez que o meu pneu furou."

"Naquele ridículo calor de torrar", disse a mãe de Ryan. "E sem uma palavra de queixa", disse o pai de Ryan. "Uma pessoa completamente encantadora."

"Quase tão encantadora — pelo menos foi o que você me contou — quanto os Fleming", disse ela.

"E os Fleming são tremendamente encantadores", disse ele.

"E o bem que eles fazem!", disse ela. "Encheram um avião de bebês e trouxeram pra cá."

"Bebês russos", disse ele. "Com lábios leporinos."

"Assim que os bebês chegaram, foram mandados para várias salas de cirurgia pelo país afora", disse ela. "E quem pagou?"

"Os Fleming", disse ele.

"Eles não separaram também algum dinheiro para a faculdade?", ela perguntou. "Para os russos?"

"Aqueles meninos foram tirados da situação de inválidos numa nação falida para ter uma nova vida no país mais formidável do mundo", disse ele. "E quem fez isso? Uma corporação? O governo?"

"Um casal de pessoas físicas", disse ela.

"Um par de sujeitos realmente visionários", disse ele.

Fez-se uma longa pausa de admiração.

"Se bem que a gente nunca imaginaria isso pelo modo rude como ele fala com ela às vezes", disse ela.

"Bom, ela também pode ser bem rude com ele", disse ele.

"Às vezes ele é rude com ela e ela revida sendo rude com ele", disse ela.

"É como a história do ovo e da galinha", disse ele.

"Só que com relação à rudeza", disse ela.

"Mesmo assim, não dá para deixar de adorar os Fleming", disse ele.

"A gente devia ser bacana desse jeito", disse ela. "Quando foi a última vez que resgatamos uma criança russa?"

"Bom, a gente faz o que pode", disse ele. "Não temos como bancar a viagem de avião de uma penca de bebês russos pra cá, mas acho que, ao nosso modo limitado, a gente até que faz muito."

"Não temos condições nem de pagar a passagem aérea de um único russo", disse ela. "Até mesmo um bebê canadense com lábio leporino estaria além dos nossos meios."

"Talvez a gente pudesse ir de carro até lá e trazer um", disse ele. "Mas e depois? Não temos como bancar a cirurgia nem a faculdade. Então o bebê ia ficar aqui nos Estados Unidos em vez de no Canadá, ainda com o problema no lábio."

"Já contamos pra vocês, meninos?", disse ela. "Estamos com mais cinco lojas. Cinco lojas na região metropolitana. Cada uma com uma fonte."

"Que ótimo, Mãe", disse Ryan.

"Isso é muito bom", disse Renee.

"E quem sabe, se essas lojas forem bem, a gente pode abrir três ou quatro outras e, a essa altura, reavaliar toda essa questão dos lábios leporinos russos", disse o pai de Ryan.

"Cara, vocês dois continuam surpreendendo", disse Ryan.

Renee saiu com o bebê no colo.

"Vou um pouco ali fora com o bebê", disse ela.

4.

O bebê tinha cobrado seu preço. Renee parecia mais larga, menos animada. Também mais pálida, como se alguém tivesse passado um facho descorante por seu rosto e seu cabelo.

O bebê parecia mesmo um elfo.

O bebê-elfo olhou para um passarinho, apontou para o passarinho.

"Passarinho", disse Renee.

O bebê-elfo olhou para a piscina absurda deles.

"Para nadar", disse Renee. "Mas ainda não. Ainda não, tá bom?"

O bebê-elfo olhou para o céu.

"Nuvens", disse Renee. "Nuvens fazem chover."

Era como se o bebê estivesse pedindo com os olhos: Depressa, me conte logo que merda é essa, assim eu posso dominar o assunto, abrir umas lojas.

O bebê olhou para mim.

Renee quase deixou cair o bebê.

"Mike, Mikey, puta merda", disse ela.

Então deu a impressão de se lembrar de algo e correu de volta para a porta da varanda.

"Rye?", ela chamou. "Rye-King? Você pode vir pegar o Martucho?"

Ryan pegou o bebê.

"Te amo", ouvi a voz dele dizer.

"Te amo mais ainda", disse ela.

Então ela voltou sem o bebê.

"Eu o chamo de Rye-King", disse, enrubescendo.

"Eu ouvi", disse eu.

"Mikey", disse ela. "Você fez?"

"Posso entrar?", perguntei.

"Hoje não", disse ela. "Amanhã. Não, quinta-feira. Os velhos dele vão embora na quarta. Venha na quinta, e a gente discute a coisa toda."

"Discutir o quê?", perguntei.

"Se você pode entrar", ela respondeu.

"Não pensei que isso fosse uma questão", disse eu.

"E você?", ela perguntou. "Fez ou não?"

"Ryan parece ser legal", disse eu.

"Deus do céu", disse ela. "Literalmente o ser humano mais legal que já conheci."

"Exceto quando está batendo", disse eu.

"Quando o quê?", ela perguntou.

"A Mãe me contou", disse eu.

"Contou o quê?", ela perguntou. "Que Ryan bate? Que ele me bate? A Mãe disse isso?"

"Não conta pra ela que eu contei", disse eu, meio em pânico, como em outros tempos.

"A Mãe está perturbada", disse ela. "Está com aquela droga de cabeça atrapalhada. Ela *tinha* que dizer isso. Sabe quem é que vai levar uma surra? A Mãe. Dada por mim."

"Por que você não me escreveu sobre a Mãe?", perguntei.

"Escrever o quê?", ela perguntou, desconfiada.

"Ela está doente?", perguntei.

"Ela te contou?", disse ela.

Fechei o punho e bati no alto da cabeça.

"O que é?", ela perguntou.

"Um caroço?", disse eu.

"A Mãe não tem caroço nenhum", disse ela. "O que ela tem é um coração fodido. Quem te contou essa história de caroço?"

"Harris", respondi.

"Ah, o Harris, perfeito", disse ela.

Dentro da casa, o bebê começou a chorar.

"Vá embora", disse Renee. "Conversamos quinta-feira. Mas antes..."

Ela segurou meu rosto nas duas mãos e virou minha cabeça para que eu visse pela janela Ryan, que estava esquentando uma mamadeira na pia da cozinha.

"Aquilo te parece um agressor?", ela perguntou.

"Não", disse eu.

E não parecia mesmo. Nem um pouco.

"Meu Deus", eu disse. "Será que alguém fala a verdade por aqui?"

"Eu falo", disse ela. "Você fala."

Olhei para ela e, por um minuto, ela de novo tinha oito anos e eu tinha dez e estávamos escondidos na casinha do cachorro enquanto a Mãe, o Pai e a tia Toni, chapados de cogumelos, vandalizavam o quintal.

"Mikey", disse ela. "Preciso saber. Você fez ou não?"

Soltei bruscamente meu rosto das suas mãos, me virei e saí.

"Vá ver sua própria mulher, seu bobão!", ela gritou enquanto eu me afastava. "Vá ver seus próprios bebês."

5.

A Mãe estava no gramado da frente, gritando com um sujeito gordo e baixinho. Harris espreitava ao fundo, golpeando ou chutando alguma coisa de quando em quando, para mostrar o quanto ele podia ser assustador quando enfurecido.

"Este é o meu filho!", disse a Mãe. "Que serviu o exército. Que acabou de voltar pra casa. E é isso o que você faz com a gente?"

"Sou grato pelo seu serviço", o homem disse para mim.

Harris chutou a lata de lixo.

"Você pode fazer o favor de dizer pra ele parar de fazer isso?", disse o homem.

"Ele não tem controle algum sobre mim quando estou puto", disse Harris. "Ninguém tem."

"Vocês acham que eu gosto disso?", perguntou o homem. "Ela não paga o aluguel há quatro meses."

"Três", disse a Mãe.

"É assim que você trata a família de um herói?", perguntou

Harris. "Ele estava lá lutando e você aqui, maltratando a mãe dele?"

"Amigo, desculpe, mas não estou maltratando ninguém", disse o homem. "Esta é uma ação de despejo. Se ela tivesse pagado o aluguel e eu estivesse despejando vocês, isso sim seria maltratar."

"E eu aqui trabalhando para uma 'p' de uma igreja!", gritou a Mãe.

O homem, embora baixinho e gordo, era admiravelmente seguro de si. Entrou na casa e saiu carregando a TV com uma expressão aborrecida no rosto, como se fosse a sua TV e ele preferisse deixá-la no jardim.

"Não", disse eu.

"Sou grato pelo seu serviço no exército", disse ele.

Segurei-o pela camisa. A essa altura eu era bom em segurar as pessoas pela camisa, olhá-las nos olhos, falar diretamente.

"De quem é esta casa?", perguntei.

"Minha", respondeu ele.

Passei o pé por trás dele, derrubei-o no gramado.

"Vai com calma", disse Harris.

"Eu fui com calma", disse eu, e levei a TV de volta para dentro.

6.

Naquela noite o delegado veio com alguns carregadores, que esvaziaram a casa levando tudo para o gramado.

Eu os vi chegando e saí pela porta dos fundos para assistir a tudo da High Street, sentado no posto elevado de observação atrás da casa dos Neston.

A Mãe estava lá fora, com a cabeça entre as mãos, andando de um lado para o outro em meio a suas tralhas amontoadas. Era melodramático e ao mesmo tempo não era. Quero dizer, quando a Mãe sente alguma coisa profundamente, é o que ela faz: melodrama. O que faz com que a coisa, suponho, deixe de ser melodrama, certo?

Vinha acontecendo uma coisa comigo ultimamente: um plano começava a fluir direto para minhas mãos e pés. Quando isso acontecia, eu sabia que devia confiar. Meu rosto fervia e eu sentia uma espécie de apelo: Vá em frente, vá, vá.

Isso em geral dava certo.

Agora o plano que fluía pelo meu organismo era: agarrar a Mãe, levá-la para dentro, fazê-la sentar, buscar Harris, fazê-lo sentar, botar fogo no lugar, ou pelo menos fazer menção de botar fogo no lugar, para atrair a atenção deles, fazê-los agir de acordo com a idade que eles tinham.

Desci a ladeira correndo, empurrei a Mãe para dentro, sentei-a nos degraus da escada, agarrei Harris pela camisa, passei meu pé por trás dele, joguei-o no chão. Em seguida acendi um fósforo e o aproximei do carpete que cobria a escada e, quando ele começou a pegar fogo, ergui um dedo, como dizendo: Silêncio, corre pelo meu corpo a força de recente experiência sombria.

Ficaram ambos tão apavorados que não abriram a boca, o que me fez sentir a espécie de vergonha que a gente sabe que não vai curar pedindo desculpas, e para a qual a única coisa a fazer é: vai em frente, vergonha pouca é bobagem.

Apaguei o fogo do carpete batendo os pés e fui até a Gleason Street, onde Joy e as crianças estavam morando com o Cuzão.

7.

Que soco no estômago: a casa deles era ainda mais bacana que a de Renee.

A casa estava às escuras. Havia três carros na entrada da garagem. O que significava que estavam todos em casa e já tinham ido para a cama.

Fiquei ali parado, pensando um pouco naquilo.

Então caminhei de volta para o centro e entrei numa loja. Acho que era uma loja. Se bem que eu não era capaz de dizer o que se vendia ali. Sobre balcões amarelos iluminados a partir de dentro havia etiquetas de plástico azul. Apanhei uma. Nela estava escrita a palavra "MiiVOXMAX".

"O que é isto?", perguntei.

"A questão é para que serve, eu diria", disse o menino que estava lá.

"Para que serve?", perguntei.

"Na verdade", disse ele, "este aqui provavelmente é mais adequado para você."

E me estendeu uma etiqueta idêntica, mas com a palavra "MiiVOXMIN" escrita nela.

Outro menino apareceu com café e biscoitos.

Pousei a etiqueta MiiVOXMIN e apanhei a etiqueta MiiVOXMAX.

"Quanto é?", perguntei.

"Você quer dizer quanto custa?", disse ele.

"O que é que isto faz?", perguntei.

"Bem, se você está perguntando se é um banco de dados ou um domínio de hierarquia de informação", disse ele, "a resposta seria: sim e não."

Eles eram simpáticos. Não havia uma única ruga em seus

rostos. Quando digo que eram meninos, quero dizer que tinham mais ou menos a minha idade.

"Estive fora por um bom tempo", disse eu.

"Bem-vindo de volta", disse o primeiro rapaz.

"Onde você esteve?", perguntou o segundo rapaz.

"Na guerra?", disse eu, na voz mais agressiva que fui capaz de convocar. "Talvez vocês tenham ouvido falar dela."

"Eu ouvi", disse o primeiro, com respeito. "Obrigado por seu serviço."

"Em qual delas?", perguntou o segundo. "Teve duas, não?"

"Mas uma delas eles deram por encerrada, não foi?", disse o primeiro.

"Meu primo está lá", disse o segundo. "Numa delas. Pelo menos acho que está. Sei que é para ele estar. Nunca fomos muito próximos."

"Seja como for, obrigado", disse o primeiro, me estendendo a mão, e eu a apertei.

"Eu não era a favor da guerra", disse o segundo. "Mas sei que não foi uma escolha sua."

"Bem", disse eu. "Meio que foi."

"Você *não era* a favor ou *não é* a favor?", o primeiro perguntou para o segundo.

"As duas coisas", disse o segundo. "Mas ela ainda está rolando?"

"Qual das duas?", perguntou o primeiro.

"Aquela de que você participou ainda está rolando?", me perguntou o segundo.

"Sim", respondi.

"Está melhorando ou piorando, o que você acha?", perguntou o primeiro. "Tipo, na sua visão, estamos ganhando? Ora, o que estou dizendo? Na verdade não me importa, isso é que é o engraçado!"

"De todo modo", disse o segundo, e estendeu a mão, e eu a apertei.

Eles eram tão simpáticos, receptivos, cândidos — estavam tão *a favor* de mim — que saí sorrindo e só quando já estava a uma quadra de distância me dei conta de que ainda estava segurando o MiiVOXMAX. Parei debaixo de um poste de iluminação e dei uma olhada. Parecia só uma etiqueta de plástico. Tipo assim: se você quisesse um MiiVOXMAX, bastava estender a etiqueta e alguém traria para você o MiiVOXMAX, fosse lá o que fosse.

8.

O Cuzão atendeu à porta. Seu verdadeiro nome era Evan. Frequentamos a escola juntos. Eu tinha uma vaga lembrança dele com um cocar na cabeça, disparando por um corredor.

"Mike", ele disse.

"Posso entrar?", perguntei.

"Acho que devo responder não à sua pergunta", disse ele.

"Eu gostaria de ver as crianças", disse eu.

"Já passa da meia-noite", disse ele.

Eu tinha quase certeza de que ele estava mentindo. As lojas ficavam abertas até depois da meia-noite, por acaso? Ainda assim, a lua estava alta e havia algo de úmido e triste no ar que parecia estar dizendo: Bom, não é *cedo*.

"Amanhã?", disse eu.

"Tudo bem pra você?", ele perguntou. "Depois que eu voltar do trabalho?"

Vi que tínhamos concordado em ser razoáveis. Um jeito de ser razoável era dizer tudo como se fosse uma interrogação.

"Por volta das seis?", disse eu.

"Seis está bom pra você?", disse ele.

O bizarro é que eu nunca cheguei a ver os dois realmente juntos. A mulher lá na cama dele podia ser totalmente outra pessoa.

"Eu sei que não é fácil", disse ele.

"Você me sacaneou", disse eu.

"Com todo o respeito, eu discordo", disse ele.

"Não tenho dúvida", disse eu.

"Eu não te sacaneei e ela também não", disse ele. "Foi uma circunstância desafiadora para todos os envolvidos."

"Mais desafiadora para uns do que para outros", disse eu.

"Concorda comigo pelo menos quanto a isso?"

"É pra falar francamente?", disse ele. "Ou vamos ficar pisando em ovos pra evitar o conflito?"

"Francamente", disse eu, e o rosto dele assumiu aquela expressão que, por um minuto, fez com que eu gostasse dele de novo.

"Foi difícil pra mim porque me senti um merda", disse ele. "Foi difícil pra ela porque ela se sentiu uma merda. Foi difícil pra nós porque, ao mesmo tempo que nos sentíamos uns merdas, também sentíamos todas as outras coisas que estávamos sentindo, que, posso te garantir, eram e são verdadeiras como todo o resto, uma bênção absoluta, se é que posso falar desse jeito."

A essa altura, comecei a me sentir um imbecil, como se estivesse imobilizado por um bando de marmanjos para que outro marmanjo pudesse chegar e enfiar seu punho Nova Era no meu rabo enquanto me explicava que enfiar o punho no meu rabo não era de modo algum escolha sua, e que na verdade isso fazia até ele se sentir em conflito interior.

"Seis horas", disse eu.

"Seis horas, perfeito", disse ele. "Felizmente, estou com horário de trabalho flexível."

"Você não precisa estar aqui", disse eu.

"Se você estivesse no meu lugar, e eu no seu, não acha que talvez sentisse que de algum modo precisaria estar aqui?", disse ele.

Um dos carros era um Saab, outro era um Escalade e o terceiro era um Saab mais novo, com duas cadeirinhas de criança no banco de trás e um palhaço de pano que não me era familiar.

Três carros para dois adultos, pensei. Que país. Que belo par de egoístas idiotas eram minha mulher e o atual marido dela. Dava para ver que, ao longo dos anos, meus filhinhos iriam se transformar lentamente em bebês egoístas idiotas, depois em pirralhos engatinhadores, crianças, adolescentes e adultos egoístas idiotas, comigo o tempo todo rondando por ali como algum amarfanhado tio suspeito.

Aquela parte da cidade era cheia de castelos. Dentro de um havia um casal se abraçando. Dentro de outro uma mulher tinha uns nove milhões de casinhas de Natal em cima de uma mesa, como se estivesse fazendo um inventário. Do outro lado do rio os castelos iam ficando menores. Na nossa parte da cidade, as casas pareciam cabanas de camponeses. Dentro de uma cabana de camponês havia cinco meninos em pé, perfeitamente imóveis, sobre o encosto de um sofá. Então todos saltaram para o chão ao mesmo tempo e seus cachorros foram à loucura.

9.

A casa da Mãe estava vazia. A Mãe e Harris estavam sentados no chão da sala, dando telefonemas, tentando encontrar algum lugar para ir.

"Que horas são?", perguntei.

A Mãe ergueu a vista para o lugar onde o relógio de parede costumava ficar.

"O relógio está na calçada", disse ela.

Saí. O relógio estava embaixo de um casaco. Eram dez horas. Evan tinha me sacaneado. Pensei em voltar e exigir ver as crianças, mas quando eu chegasse lá já seriam onze horas e ele ainda teria um argumento decente quanto ao adiantado da hora.

O delegado entrou na casa.

"Não precisa se levantar", disse, dirigindo-se à Mãe.

A Mãe se levantou.

"Levante-se", ele me disse.

Permaneci sentado.

"Foi você que derrubou o sr. Klees?", perguntou o delegado.

"Ele acaba de voltar da guerra", disse a Mãe.

"Obrigado por ter servido", disse o delegado. "Será que posso lhe pedir para deixar de jogar pessoas no chão daqui pra frente?"

"Ele também me jogou no chão", disse Harris.

"Meu problema é que não quero sair por aí prendendo veteranos", disse o delegado. "Eu mesmo sou um veterano. Portanto, se você me ajudar, deixando de derrubar as pessoas, eu vou lhe ajudar. Deixando de prender você. Combinado?"

"Ele também ia incendiar a casa", disse a Mãe.

"Eu não recomendaria incendiar coisa alguma", disse o delegado.

"Ele não está em si", a Mãe disse. "Quer dizer, olha bem pra ele."

O delegado nunca tinha me visto antes, mas era como se admitir que não tinha base alguma para avaliar minha aparência fosse soar como uma limitação profissional.

"Ele parece mesmo cansado", disse o delegado.

"Mas bem fortinho", disse Harris. "Me jogou no chão em dois tempos."

"Para onde vocês vão amanhã?", perguntou o delegado.

"Alguma sugestão?", disse a Mãe.

"Um amigo, um membro da família?", disse o delegado.

"A casa da Renee", disse eu.

"Se isso falhar, o abrigo em Fristen?", disse o delegado.

"Para a casa da Renee eu não vou", disse a Mãe. "Todo mundo naquela casa é arrogante e metido demais. Já acham que a gente é inferior."

"Bom, a gente é inferior", disse Harris. "Comparado com eles."

"Outra coisa que eu não faço e ir pra 'p' de um abrigo", disse a Mãe. "Esses abrigos estão infestados de chatos e piolhos."

"Quando a gente começou a namorar eu estava com chatos que tinha pegado naquele abrigo", disse Harris, prestativo.

"Vou dizer uma coisa", disse a Mãe. "Aqui eu trabalho para uma igreja e meu filho é um herói. Com uma Estrela de Prata. Salvou um fuzileiro arrastando o 'fdp' pelo pé. Temos a carta. E onde eu estou agora? No olho da rua."

O delegado já não estava prestando atenção, impaciente para sair pela porta e voltar à sua realidade, qualquer que fosse ela.

"Encontrem um lugar pra morar, pessoal", aconselhou cordialmente ao sair.

Harris e eu arrastamos dois colchões de volta para dentro. Ainda estavam com os lençóis, cobertores e tudo. Mas o lençol no colchão deles estava manchado de grama numa ponta e os travesseiros tinham cheiro de lama.

Então passamos uma longa noite na casa depenada.

10.

Pela manhã a Mãe telefonou para algumas senhoras que ela tinha conhecido quando era uma jovem mãe, mas uma delas tinha deslocado um disco da coluna, outra estava com câncer e uma terceira tinha gêmeos que tinham acabado de ser diagnosticados como maníaco-depressivos.

À luz do dia Harris ficava valente de novo.

"Então essa coisa da corte marcial", disse ele, "foi a pior coisa que você fez? Ou teve coisas piores, que você fez mas escapou sem ser pego?"

"Eles o inocentaram", disse a Mãe, secamente.

"Bem, eles me inocentaram de arrombamento e invasão, naquela vez", disse Harris.

"Seja como for, isso por acaso é da sua conta?", disse a Mãe.

"Provavelmente ele quer falar", disse Harris. "Desabafar um pouco aqui. Faz bem pra alma."

"Olhe pra cara dele, Har", disse a Mãe.

Harris olhou para a minha cara.

"Desculpe por ter tocado nesse assunto", disse ele.

Então o delegado voltou. Fez com que eu e Harris arrastássemos os colchões de volta para fora. Na varanda ficamos assistindo enquanto ele fechava a porta com cadeado.

"Por dezoito anos você foi meu lar querido", disse a Mãe, possivelmente imitando um Sioux de algum filme.

"Vocês vão querer uma van aqui", disse o delegado.

"Meu filho lutou na guerra", disse a Mãe. "E olhe só o que vocês estão fazendo comigo."

"Sou o mesmo sujeito que esteve aqui ontem", disse o delegado, e por algum motivo enquadrou o rosto com as mãos. "Lembra de mim? A senhora já disse isso. Agradeci a ele por ter servido. Agora chame uma van. Caso contrário, sua tralha vai parar toda no lixão."

"Vejam como eles tratam uma senhora que trabalha numa igreja", a Mãe disse.

A Mãe e Harris vasculharam seus cacarecos, encontraram uma mala, encheram a mala de roupas.

Então fomos de carro até a casa de Renee.

Meu sentimento era: Ah, isso vai ser divertido.

11.

Se bem que sim e não. Esse era apenas um dos meus sentimentos.

Outro era: Oh, Mãe, eu me lembro de quando você era jovem e usava tranças e eu teria dado qualquer coisa para ver você afundar tanto.

Outro era: Sua velha maluca, você me dopou ontem à noite. Qual era o objetivo disso?

Outro era: Mãe, Mamãe, deixe-me ajoelhar a seus pés e lhe contar o que eu, Smelton e Ricky G. fizemos em Al-Raz, e aí você me faz um cafuné e diz que qualquer um teria feito exatamente o mesmo.

Ao atravessarmos a Roll Creek Bridge percebi o que a Mãe estava sentindo: Ah, se a Renee me renegar, entrego aquele bebezinho do 'c' dela numa 'p' de bandeja.

Mas então, poxa, quando chegamos ao outro lado e o ar fresco ribeirinho tinha dado lugar de novo ao ar normal, o rosto dela já tinha mudado para: Oh, meu Deus, se a Renee me renegar na frente dos pais de Ryan e eles me virem mais uma vez como gentinha, eu morro, juro que eu simplesmente morro.

183

12.

Renee de fato a renegou na frente dos pais de Ryan, que de fato acharam que ela era gentinha.

Mas ela não morreu.

Se você visse a cara deles quando nós entramos na casa. Renee ficou pasma. Ryan ficou pasmo. A mãe e o pai de Ryan estavam se esforçando tanto para não parecer pasmos que ficavam trombando nas coisas. Um vaso foi para o chão quando o pai de Ryan tropeçou tentando parecer tagarela/receptivo. A mãe de Ryan resvalou num quadro e acabou segurando-o nos braços cruzados embrulhados no vermelho do suéter.

"É este o bebê?", perguntei.

A Mãe pegou no meu pé de novo.

"O que você acha que é?", disse ela. "Um anão que não sabe falar?"

"Este é Martney, sim", disse Renee, estendendo o bebê para mim.

Ryan pigarreou, fuzilou Renee com um olhar que dizia: Pensei que tivéssemos falado sobre isso, Muffin Querida.

Renee mudou a trajetória do bebê, desviando-o para cima, como se, erguendo-o bem alto, isso abolisse a necessidade de eu segurá-lo, estando ele tão perto do lustre e tudo mais.

O que me magoou.

"Porra", eu disse. "O que você acha que eu vou fazer?"

"Faça o favor de não dizer 'porra' na nossa casa", disse Ryan.

"Faça o favor de não dizer ao meu filho que 'p' ele pode ou não dizer", disse a Mãe. "Sendo que ele esteve na guerra e tudo."

"Obrigado por ter servido", disse o pai de Ryan.

"Podemos muito bem ir para um hotel", disse a mãe de Ryan.

"Vocês não vão para hotel nenhum, Mãe", disse Ryan. "*Eles* podem ir para um hotel."

"Nós não vamos para um hotel", disse a Mãe.

"Vocês podem muito bem ir para um hotel, Mãe. Você adora um bom hotel", disse Renee. "Especialmente quando somos nós que estamos pagando."

Até Harris estava nervoso.

"Um hotel parece ótima ideia", disse ele. "Há tempos que não me estendo nesse lugar aprazível que é um hotel."

"Você quer mandar sua própria mãe, que trabalha para uma igreja, junto com seu irmão, um herói condecorado com a Estrela de Prata, que acabou de voltar da guerra, para um pulgueiro qualquer?", disse a Mãe.

"Quero", disse Renee.

"Posso pelo menos segurar o bebê?", perguntei.

"Não no meu turno de vigília", disse Ryan.

"Jane e eu gostaríamos que você soubesse o quanto nós apoiamos sua missão", disse o pai de Ryan.

"Uma porção de gente não sabe das inúmeras escolas que vocês, camaradas, construíram lá", disse a mãe de Ryan.

"As pessoas tendem a se concentrar no que é negativo", disse o pai de Ryan.

"Como é mesmo o provérbio?", disse a mãe de Ryan. "Para fazer uma coisa ou outra, você primeiro tem que quebrar uma coisa ou outra, não é isso?"

"Acho que ele poderia segurar o bebê", disse Renee. "Quero dizer, afinal estamos aqui bem pertinho."

Ryan estremeceu, fez que não com a cabeça.

O bebê se contorceu, como se ele também acreditasse que seu destino estava sendo decidido.

Toda aquela gente pensando que eu iria machucar o bebê fez com que eu me imaginasse machucando o bebê. Será que me imaginar machucando o bebê significava que eu *machucaria* o bebê? Eu *queria* machucar o bebê? Não, por Deus. Porém: O fato de eu não ter intenção alguma de machucar o bebê significava que eu, na hora do vamos ver, não machucaria o bebê? No passado recente, não havia acontecido de eu não ter intenção alguma de fazer a Atividade X, e de repente me ver fazendo justamente a Atividade X?

"Não quero segurar o bebê", disse eu.

"Agradeço seu gesto", disse Ryan. "Muito legal da sua parte."

"Quero segurar este jarro", disse eu, e apanhei um jarro e o segurei como se fosse um bebê, derramando a limonada, e, quando a limonada já tinha formado uma bela poça no assoalho de madeira, atirei o jarro com força no chão.

"Vocês conseguiram me magoar de verdade!", disse eu.

No momento seguinte eu estava lá fora, na calçada, caminhando depressa.

13.

Então voltei àquela loja.

Dois outros sujeitos estavam lá, mais jovens que os dois anteriores. Podiam ser colegiais. Estendi a etiqueta MiiVOXMAX.

"Uau, puta merda!", disse um dos sujeitos. "A gente estava se perguntando aonde isso tinha ido parar."

"Estávamos a ponto de pedir reposição", disse o outro sujeito, trazendo café e biscoitos.

"É valioso?", perguntei.

"Ah, oh, meu caro", disse o primeiro e tirou uma espécie de pano especial de debaixo do balcão, tirou o pó da etiqueta e a devolveu ao mostruário.

"O que é isso?", perguntei.

"A questão é para que serve, eu diria", disse o primeiro sujeito.

"Para que serve?", perguntei.

"Este aqui provavelmente é mais adequado para você", disse ele, e me estendeu a etiqueta MiiVOXMIN.

"Estive fora por um bom tempo", disse eu.

"Nós também", disse o segundo menino.

"Acabamos de sair do exército", disse o primeiro menino. Então nos revezamos dizendo onde tínhamos estado. Acabou que eu e o primeiro sujeito tínhamos estado basicamente no mesmo lugar.

"Espere aí, então você esteve em Al-Raz?", perguntei.

"Estive totalmente em Al-Raz", disse o primeiro sujeito.

"Nunca estive na porra do combate, admito", disse o segundo sujeito. "Se bem que uma vez eu atropelei um cachorro com uma empilhadeira."

Perguntei ao primeiro sujeito se ele se lembrava do filhote de cabra, do muro esburacado, da criancinha que chorava, da porta escura encimada por um arco, dos pombos que de repente irromperam num estouro daquele beiral cinza descascado.

"Eu não estava lá a essa altura", disse ele. "Estava mais perto do rio e do barco emborcado e daquela pequena família toda de vermelho que continuava aparecendo em todo lugar para onde a gente olhava?"

Eu sabia exatamente onde ele tinha estado. Era inacreditável o número de vezes, pré e pós-estouro dos pombos, que eu avistara no horizonte, à beira do rio, alguma figura de vermelho suplicando, rastejando ou tentando fugir.

"Tudo acabou bem com o tal cachorro, porém", disse o segundo sujeito. "Ele sobreviveu e tudo. Quando saí dali, ele já estava tipo de pé do meu lado, andando na empilhadeira."

Uma família de nove índios entrou, e o segundo sujeito foi até eles com o café e os biscoitos.

"Al-Raz, uau", disse eu, jogando verde.

"Quer saber?", disse o primeiro sujeito. "Pra mim, Al-Raz foi o pior dia da coisa toda."

"Sim, exato, pra mim também", disse eu.

"Eu fiz merda pra valer em Al-Raz", disse ele. De repente senti que não estava conseguindo respirar. "Meu camarada Melvin?", disse ele. "Ganhou um estilhaço de metralha bem na virilha. Por minha causa. Esperei demais pra começar a retirada. Tinha tipo uma festinha de mulheres ali bem perto. Umas quinze garotas naquela casa de esquina. E garotos com elas. Então esperei. Azar do Melvin. Da virilha do Melvin."

Agora ele estava esperando que eu contasse a merda que eu tinha feito.

Larguei meu MiiVOXmin, peguei de novo, larguei.

"Mas o Melvin está bem", disse ele, e deu uma batidinha com dois dedos na própria virilha. "Está em casa, sabe, fazendo pós-graduação. Ao que parece, está podendo até trepar."

"Fico feliz em ouvir isso", disse eu. "Provavelmente ele de vez em quando até anda de empilhadeira do seu lado."

"Oi?", disse ele.

Olhei para o relógio na parede. Parecia não ter ponteiros. Era só um padrão móvel em amarelo e branco.

"Você sabe que horas são?", perguntei.

O sujeito olhou para o relógio.

"Seis", respondeu.

14.

De volta à rua, encontrei um telefone público e liguei para Renee.

"Sinto muito", disse eu. "Sinto muito pelo jarro."

"Sei. Bom", disse ela, na sua voz sem afetação. "Você vai me comprar um novo."

Dava para perceber que ela estava buscando uma reconciliação.

"Não", eu disse. "Não vou fazer isso."

"Onde você está, Mikey?", perguntou ela.

"Em lugar nenhum", respondi.

"Para onde você vai?", perguntou.

"Para casa", disse eu, e desliguei.

15.

Subindo a Gleason, tive aquela sensação. Minhas mãos e meus pés não sabiam exatamente o que queriam, mas tendiam para o seguinte: abrir caminho ultrapassando o que quer/quem quer que me barre, entrar, começar a destroçar a merda toda arremessando-a em volta, berrar o que vier à cabeça, ver o que acontece.

Eu estava como que num escorregador de vergonha. Sabe o que quero dizer? Uma vez, quando eu estava no segundo grau, um cara me pagou para limpar uma gosma que havia no seu lago. A gente pescava pedaços da gosma com ancinho e jogava longe. A certa altura a ponta do meu ancinho afundou no monte de gosma. Quando tentei retirá-lo, surgiu um milhão de girinos, mortos e agonizantes, da idade que eles têm quando ficam com aquelas barrigas inchadas como mulheres grávidas. O que os mortos e os agonizantes tinham em comum era: seus ventres brancos e moles tinham sido rasgados pela gosma que tinha caído de repente sobre eles. A diferença era: os agonizantes eram os únicos que faziam uma gesticulação maluca de pânico.

Tentei salvar alguns, mas eram tão delicados que tudo o que consegui ao mexer neles foi torturá-los ainda mais.

Talvez alguém no meu lugar tivesse dito ao sujeito que me contratou: "Ei, vou ter que parar agora, me sinto mal por matar tantos girinos". Mas não fui capaz. Então continuei pescando gosma e jogando longe.

A cada investida eu pensava: Estou produzindo mais ventres sangrentos.

O fato de eu ter continuado aquele serviço me fez começar a ficar furioso com as rãs.

Era como se, das duas uma: (A) Eu era um cara terrível que estava fazendo conscientemente aquela coisa escrota sem parar, ou (B) não era uma coisa assim tão escrota, na verdade, apenas normal, e o jeito de confirmar que era normal era continuar fazendo, sem parar.

Anos depois, em Al-Raz, foi uma sensação semelhante.

Ali estava a casa.

Ali estava a casa onde eles cozinhavam, riam, trepavam. Ali estava a casa que, no futuro, quando meu nome viesse à tona, ficaria em silêncio completo, e Joy diria algo como: "Embora Evan não seja o pai verdadeiro de vocês, eu e Papai Evan sentimos que vocês não precisam ficar tão perto do Papai Mike, porque o que eu e Papai Evan de fato queremos é que vocês dois cresçam fortes e saudáveis, e às vezes mamães e papais precisam criar uma atmosfera especial para que isso possa acontecer".

Procurei os três carros na garagem. Três carros significavam: todos em casa. Eu queria que estivessem todos? Sim, queria. Queria que todos, inclusive os bebês, vissem, participassem e lamentassem o que tinha acontecido comigo.

Mas em vez de três carros havia cinco.

Evan estava na varanda, como esperado. Também na varanda estavam: Joy, mais dois carrinhos de bebê. Mais a Mãe.

Mais Harris.

Mais Ryan.

Renee dava passos largos toda sem jeito pela entrada de carros, seguida pela mãe de Ryan, que apertava um lenço contra a testa, e pelo pai de Ryan, que caminhava erguendo a bunda porque mancava, coisa que eu não tinha notado antes.

Vocês?, pensei. Vocês, seus gozadores? Seus estúpidos sacanas, foram todos enviados por Deus para me deter? É um motim. É engraçado pra caralho. Vão me deter com quê? Com suas panças? Suas boas intenções? Seus jeans da Target? Seus anos vivendo na fartura? Sua crença de que toda e qualquer coisa pode ser consertada com conversa, conversa, interminável, balofa e esperançosa conversa?

Os contornos do desastre iminente expandiram-se para incluir a morte de todos os presentes.

Meu rosto ardeu e eu pensei: Vai, vai, vai.

A Mãe tentou se levantar do balanço da varanda, mas não conseguiu. Ryan, todo cortês, veio ajudar, segurando-a pelo cotovelo.

Então subitamente algo se abrandou em mim, talvez a visão da Mãe tão frágil, e baixei a cabeça e me enfiei todo dócil naquela multidão de tapados, pensando: Ok, ok, vocês me enviaram, agora me tragam de volta. Tratem de arrumar um jeito de me trazer de volta, seus sacanas, ou serão o bando mais arrependido de filhos da mãe que o mundo já conheceu.

Meu fiasco cavalheiresco

Mais uma vez era NoiteDosArchotes. Por volta das nove saí para mijar. No bosque, no fundo, havia o grande tanque que alimentava nosso rio falso, mais uma pilha de velhas armaduras. Don Murray passou correndo por mim, parecendo esbaforido. Então ouvi um soluço. Deitada de costas perto da pilha de armaduras encontrei Martha, da Copa, com a saia de camponesa erguida até a cintura.

Martha: Aquele cara é meu chefe. Oh meu Deus, oh meu Deus.

Eu sabia que Don Murray era chefe dela porque Don Murray era também meu chefe.

De repente ela me reconheceu.

Ted, não conte, disse ela. Por favor. Não é grande coisa. Nate não pode saber. Ele morreria se ficasse sabendo.

Então saiu correndo para o Estacionamento, a parte debaixo dos olhos preta por causa do choro.

O pessoal da Cozinha tinha espalhado uma fartura de comida sobre uma mesa rústica junto à TorreDoCasteloIV: cabeças autênticas de porcos, galinhas inteiras, morcela.

Lá estava Don Murray, em pé, de cara fechada, se servindo de uma salada de repolho.

E me fez o aceno de cabeça mais afetuoso que jamais me dirigira.

Mulheres, disse ele.

Venha falar comigo, dizia um recado colado no meu armário na manhã seguinte.

Na sala de Don Murray estava Martha.

Então, Ted, disse Murray. Na noite passada você testemunhou uma coisa que, se não for vista sob a luz adequada, poderá parecer errada. Martha e eu estamos achando aquilo engraçado. Não é mesmo, Mar? Acabo de dar mil dólares para Martha. Para o caso de ter havido algum mal-entendido. Martha agora sente que nos deixamos levar por um arroubo. O que, pelo fato de ambos sermos casados, lamentamos muito. Com a bebida, mais o clima romântico da NoiteDosArchotes, o que foi que aconteceu, Martha?

Martha: Nos deixamos levar. Por um arroubo.

Don: Um arroubo voluntário.

Martha: Arroubo voluntário.

Don: E não só isso, Ted. A Martha aqui está sendo promovida. Da Copa. Para Histriã Multitarefas. Mas vamos deixar claro: você não está sendo promovida, Martha, por causa de nosso arroubo voluntário. É uma coincidência. Por que você está sendo promovida?

Martha: Coincidência.

Don: Coincidência, mas também por ter uma tremenda

ética profissional. Ted, você também está sendo promovido. Da Zeladoria para a Guarda Andante.

O que era espantoso. Eu tinha passado seis anos na Zeladoria. Um homem do meu calibre? Era uma piada que MQ e eu às vezes compartilhávamos.

Erin chamava dizendo: MQ, alguém vomitou no Bosque do Sofrimento.

E MQ respondia: Um homem do meu calibre?

Ou então Erin dizia: Ted, uma senhora deixou cair o colar no chiqueiro e está tendo uma porra de um ataque histérico.

E eu retrucava: Um homem do meu calibre?

Erin dizia: Não tem graça. Trate de se mexer. Ela está torrando meu saco.

Nossos porcos eram falsos, nosso lamaçal era falso e nossa bosta era falsa, mas mesmo assim não era nada divertido vestir macacão impermeável e galochas e arrastar a JoeireiroDeLux pelo chiqueiro para, por exemplo, pescar o colar de uma madame. Para obter melhores resultados com o JoeireiroDeLux era preciso primeiro rebocar os porcos falsos para um lado. Estando no modo automático, os porcos continuavam grunhindo enquanto a gente rebocava. O que poderia parecer engraçado se acontecesse de a gente estar segurando o tal porco do jeito errado.

Alguém que estivesse passando podia dizer: Olha só, o cara está amamentando aquele porco.

E todo mundo ria.

Por tudo isso uma promoção para a Guarda Andante era muito bem-vinda para mim.

Eu era no momento a única pessoa da nossa família que trabalhava. Minha mãe estava doente, Beth era tímida, meu pai tinha desgraçadamente quebrado a espinha quando um carro que ele estava consertando caiu em cima dele. Tínhamos também algumas janelas que precisavam ser trocadas. Durante todo o inverno Beth ia de um lado para o outro, timidamente, passando o aspirador na neve. Se alguém entrasse em casa quando ela estava passando o aspirador, ela ficava tímida demais para continuar.

Naquela noite em casa Papai calculou que logo teríamos condições de comprar uma cama reclinável para a Mamãe.

Papai: Se você continuar galgando postos, talvez com o tempo a gente consiga um aparelho para a minha coluna.

Eu: Com certeza. Vou fazer com que isso aconteça.

Depois do jantar, rodando pela cidade para comprar os remédios da Mamãe para dor, os remédios de Beth para timidez e os remédios do Papai para dor, passei pela casa de Martha e Nate.

Buzinei, acenei, estacionei, desci.

Oi, Ted, disse Nate.

Como vão as coisas?, perguntei.

Bem, nossa casa está uma pocilga, disse Nate. Dá só uma olhada. Uma pocilga, certo? Eu simplesmente não consigo me animar.

Era verdade, a casa deles estava bem ruim. O telhado tinha pedaços de lona azul, os filhos deles davam pulinhos acanhados de um carrinho de mão para uma poça de lama, um pônei esquelético estava embaixo da armação do balanço lambendo a si mesmo a ponto de esfolar como se quisesse estar limpo para quando finalmente conseguisse escapar para uma condição de vida melhor.

Quero dizer, cadê os adultos aqui?, disse Nate.

Então apanhou no chão uma embalagem de Snotz e olhou em volta à procura de um lugar para depositá-la. Então deixou-a cair de novo e ela pousou sobre o seu sapato.

Perfeito, disse ele. A história da minha vida.

Putz, disse Martha, e apanhou a embalagem.

Não vai me deixar na mão também, disse Nate. Você é tudo o que eu tenho, meu bem.

Não sou não, disse Martha. Você tem as crianças.

Se mais uma coisa der errado, eu dou um tiro na cabeça, disse Nate.

Eu meio que duvidei que ele tivesse iniciativa para isso. Se bem que a gente nunca sabe.

Então me diga como vai o trabalho de vocês, disse Nate. Esta aqui anda muito jururu. E olhe que ela acaba de ser promovida.

Eu podia sentir o olhar de Martha sobre mim, como que dizendo: Ted, estou nas suas mãos aqui.

Imaginei que era esse o apelo dela. Baseado na minha experiência de vida, que não tinha sido exatamente um gol de placa, tendo a concordar com aquela frase: Se não está quebrado, não conserte. E vou ainda mais longe: Mesmo se estiver quebrado, deixe como está, você provavelmente vai piorar as coisas.

Então eu disse alguma coisa sobre, bem, o fato de as promoções às vezes serem duras, porque causam um tremendo de um estresse.

Martha simplesmente irradiava gratidão. Caminhou comigo de volta ao carro, me deu três tomates da sua horta, que a bem da verdade me pareceram meio geriátricos: miúdos, tímidos, enrugados.

Obrigada, ela sussurrou. Você salvou minha vida.

Na manhã seguinte, em meu armário estavam meu uniforme de Guarda Andante e um copo de plástico com uma pílula amarela dentro.

Hurra!, pensei, finalmente um Papel Medicado.

Entrou a sra. Bridges, da Saúde e Segurança, com um MSDS* sobre a pílula.

Sra. Bridges: Então, isto não passa de cem miligramas de KnightLyfe®. ** Para ajudar com o Aperfeiçoamento. A questão com o KnightLyfe® é que você vai querer se manter hidratado. Tomei a pílula, fui para a Sala do Trono. Minha função era andar de um lado para o outro diante de uma porta atrás da qual supostamente havia um Rei meditando. Havia de fato um Rei lá dentro: Ed Phillips. Puseram um Rei lá porque um de nossos Tropos Roteirizados era: o Mensageiro chega, passa abruptamente pelo Guarda Andante, abre a porta com ímpeto, o Rei chama o Mensageiro de afoito, chama o Guarda Andante de idiota, o Mensageiro se encolhe, fecha a porta, tem um breve diálogo com o Guarda Andante. Em pouco tempo Visitantes já tinham quase lotado nosso Local de Diversão. O Mensageiro (também conhecido como Kyle Sperling) passou cambaleando por mim, abriu a porta. Ed chamou Kyle de afoito, me chamou de idiota. Kyle se encolheu, fechou a porta.

Kyle: Peço perdão por ter quebrado o protocolo.

Me deu um branco, esqueci minha fala, que era: Seu ímpeto anuncia uma paixão varonil.

Em vez disso, falei: Ahn, tudo bem.

Kyle, um verdadeiro profissional, nem pestanejou.

---

* MSDS: sigla de *Material Safety Data Sheet* [Ficha de Dados de Segurança de Material]: formulário com dados referentes às propriedades de uma substância determinada. Usado na segurança do trabalho, instrui funcionários a respeito dos procedimentos para a manipulação segura dessa substância. (N. T.)

** KnightLyfe©: Assim como as outras "marcas registradas" inventadas pelo autor, esta alude a sua função. No caso, KnightLyfe sugere *Knight life*, "vida de cavaleiro" ou "vida de paladino". (N. T.)

Kyle (me estendendo um envelope): Por favor, faça com que isto chegue até ele. É de suprema urgência.

Eu: Sua Majestade está imerso em seus pensamentos.

Kyle: Oprimido pelo fardo dos pensamentos?

Eu: Isso mesmo. O fardo dos pensamentos.

Nesse exato momento o KnightLyfe® bateu. Minha boca ficou seca. Achei bacana da parte de Kyle não ligar para minha trapalhada. Então me ocorreu que eu gostava de verdade de Kyle. Até o amava. Como um irmão. Um camarada. Um nobre camarada. Sentia que tínhamos vencido juntos muitas tormentas. Parecia, por exemplo, que havíamos a certa altura, numa terra distante, nos encolhido contra a muralha de um castelo, sob cascatas de piche fervente, e então compartilhado uma risada lúgubre, como que dizendo: É tudo tão breve, vivamos a vida. E então: Avante! Tínhamos atacado. Tínhamos galgado escadas rústicas, com Imprecações viris, embora eu não conseguisse lembrar quais tinham sido exatamente essas Imprecações, nem o desfecho do referido Ataque.

Kyle partiu sem demora. Eu entretive alegremente nossos Visitantes, mediante o uso de Ditos Espirituosos e muitos Gracejos, feliz por ter, depois de minhas muitas Labutas, chegado a um patamar na Vida do qual eu podia comunicar tal Júbilo para Tudo & Todos.

Em pouco tempo, o Deleite daquele Dia, já Considerável, aumentou ainda mais pela Chegada do meu Benfeitor, Don Murray.

Proferiu Don Murray, com uma alegre Piscadela: Ted, sabe o que você e eu precisamos fazer um dia? Sair juntos numa viagem ou coisa parecida. Que tal uma pescaria? Ou um acampamento, sei lá.

Meu coração inflou ante tal Noção. Pescar, caçar, acampar com aquele nobre Cavalheiro! Errar pela vastidão dos Campos

& Bosques verdejantes! Descansar, no Fim do Dia, sob um tranquilo Caramanchão, junto ao leito de um Córrego, e ali, em meio ao Relincho surdo de nossos Corcéis, falar mansamente sobre muitas Coisas — sobre Honra; sobre Amor; sobre Perigo; sobre Dever bem executado!

Mas então Ocorreu um fatídico Evento.

A saber: a Chegada da acima mencionada Martha, sob as vestes de Espírito — Espírito Três, para ser preciso —, junto com duas outras Donzelas de Branco (sendo estas Megan e Tiffany). Esse Trio de Vestais simulava um Divertido Ardil: elas eram Fantasmas, que Assombravam este Castelo, com muito Arrastar de Correntes e Lamentos Tristes, enquanto nossos Visitantes, naquele Local de Diversão, confinados pelas Cordas Vermelhas, ficavam Boquiabertos & Agitavam-se & Gritavam em reação ao Espetáculo que lhes era fornecido naquele recinto.

Vislumbrando o Semblante de Martha — que, embora Jubiloso, ostentava ao mesmo tempo um Traço de alguma Lembrança Funesta (e eu sabia muito bem qual era) —, fiquei, apesar da minha boa Fortuna recente, um tanto Melancólico.

Percebendo essa Mudança em minha Disposição, Martha falou suavemente comigo, num Aparte.

Martha: Tudo bem, Ted. Já superei. É sério. De verdade. Deixa pra lá.

Oh, que uma Mulher de tão Invejável Virtude, que tanto Sofrera, se dignasse a falar comigo de um Modo tão Franco & Direto, consentindo por suas Palavras em manter sua Desgraça em tão desolado Confinamento!

Martha: Ted. Você está bem?

Ao que dei a Resposta: Em Verdade, não tenho estado Bem, e sim Perturbado & Negligente; mas doravante estou Restituído a Mim Mesmo, e por isso peço Copiosas Desculpas por minha anterior Incúria com respeito a Vós, cara Dama.

Martha: Calma lá, Ted.

Nesse momento, Don Murray em pessoa deu um passo Adiante e, estendendo sua Mão, pousou-a sobre o meu Peito, como que para me Refrear.

Ted, juro por Deus, proferiu ele. Feche a matraca senão eu jogo você rapidinho na privada e dou a descarga.

E em verdade, parte da minha Mente me deu então um sábio Conselho: devo me empenhar em abafar esses Sentimentos, sob pena de incorrer em algum Ato Irrefletido, convertendo minha Boa Fortuna em Desventura.

No entanto, o Coração do Homem é um Órgão que não se entrega a um fácil Prognóstico, e não pode ser Domado com facilidade.

Pois que, enquanto eu olhava para Don Murray, muitos Pensamentos se acumulavam em minha Mente, como em Nuvens de Tormenta: Para que Serve a Vida, se o Homem Vivente não busca a Retidão & defende a Justiça, quando Deus o dotou do Poder de assim proceder? Foi porventura coisa Ditosa, um Demônio sair por aí Desimpedido? Devem os Fracos para sempre errar desprotegidos por esta Orbe formidável? Com esses Pensamentos, algo de Honesto e Varonil começou a se afirmar dentro de mim, e em consequência, não condizendo o Sigilo com um Cavalheiro, avancei a passos largos até o Centro mesmo daquela Sala e enunciei, para os muitos Visitantes reunidos ali, uma justa Proclamação Honesta, Resolutamente e em Alto e Bom Som, a saber:

— Que Don Murray tirara Proveito Ilícito de Martha, cravando, contra a Vontade desta, a Haste em sua Feminilidade na NoiteDosArchotes;

— E mais: que aquele Patife impuro Granjeara o silêncio de Martha por meio de Diversos Subornos, incluindo o atual Posto de Trabalho dela;

— E mais ainda: que ele tentara de modo similar Comprar meu Silêncio; mas que eu NÃO MAIS SILENCIARIA, pois era um Homem afinal, se não houvera OUTRA razão, e DEFENDERIA a Retidão, sem atentar a PREÇO.

Voltando-me para Martha, requeri, por uma inflexão da minha Cabeça, seu Assentimento àqueles Proferimentos, & Confirmação da Verdade do que eu havia Declarado. Mas, ai de mim! A meretriz não Ratificou minhas palavras. Só deixou cair os Olhos, como que por Vergonha, e fugiu daquele Local.

A Segurança, tendo sido Convocada por Don Murray, chegou e, tirando bastante proveito da Oportunidade, se Divertiu comigo, desferindo muitos Golpes duros em minha Cabeça & Corpo. E me Arrancou com violência daquele Local, e me Arremessou na Rua, lançando muito pó sobre a minha Pessoa, e rasgou meu Cartão de Ponto diante dos meus Olhos, e jogou os pedaços para os Ares, em meio a uma Risada muito cruel às minhas Custas, especialmente por causa do meu Chapéu com Plumas, uma Pluma do qual tinha sido Impiedosamente Dobrada.

Fiquei sentado, sangrando e cheio de hematomas, até que, arregimentando a alguma Dignidade que me restava, pus-me a caminho de Casa e dos Consolos que me pudessem ser Garantidos lá. Não dispunha sequer de Passagem para adentrar o Ônibus (tendo deixado minha Mochila naquele Local Infecto), de modo que continuei a Pé por uma boa Hora, o Sol a esta altura já baixo em sua Curva, o tempo todo Refletindo tristemente que, no fim das contas, havia sido Falto de Perspicácia, lançando deste modo minha Família numa Posição das mais lúgubres, na qual nossa Pobreza, já um Obstáculo a nossa Bem-Aventurança, seria Multiplicada muitas vezes.

Não haveria nenhum Aparelho de Coluna para o Pai, nenhuma Cama Reclinável para a Mãe, e, a bem da verdade, o Método pelo qual iríamos, no futuro, encontrar Meios para seus vários Medicamentos Necessários era agora um Mistério & um Tormento.

Dali a nada eu Me via nas cercanias da Wendy's do Center Boulevard, perto do Outback agora fechado, me recriminando, e me recriminando duramente, consciente de que em breve, esvaído o efeito do Elixir, eu me encontraria diante de nosso incerto Televisor, penando para explicar, com meu próprio Linguajar modesto, que, apesar das Neves do Inverno que vinham lépidas (para entrar em nossa Morada, conforme antes Admiti), nenhum Apelo seria Tolerado: eu estava Demitido; Demitido & dolorosamente Desonrado!

Então veio como que um Golpe Mortal, sublinhando minha Insensatez, desfechado pela própria Martha, que, me ligando no Celular, dirigiu-se a mim com verdadeira Dor na Voz, que me pungiu até a Medula, dizendo: Muitíssimo obrigada, Ted, caso você ainda não tenha notado, a gente mora numa porra de uma cidade minúscula, oh meu Deus, oh meu Deus!

E então começou a chorar, & de toda a Alma.

Era verdade: Fofoca e Difamação voavam como o Vento em nossa Cidade, e com certeza logo alcançariam também o Ouvido do pobre idiota do Nate. E vendo-se assim cruelmente Informado sobre a Torpe Violação de sua Martha, Nate certamente iria à loucura.

Oh, céus.

Que merda de Dia.

Tomando um Atalho através do Campo esportivo do colégio, onde os *Dummies* do futebol, em silhueta, como homens que sabiam o valor de manter a Boca fechada, pareciam Zombar de mim, tentei me Consolar dizendo que tinha feito a Coisa Certa, e servira à Verdade, e revelara Coragem. Mas não houve Consolo nisso. Era tão bizarro. Por que eu tinha feito Aquilo? Eu me sentia um perfeito Miolo-Mole, antes devendo ter deixado tudo como estava & sido mais Moderado. Eu tinha fodido a Biela, sem mentira. Se bem que, por outro Lado, não era verdade que o próprio Diabo, de quando em quando, envergava os Trajes da Moderação, conviesse tal gesto a seu Propósito? Não era Salutar que os Eventos seguissem seu curso até a punição de Don Murray? Se bem que, ainda uma vez, quem eu pensava que era, o sr. Manda-Chuva?

Bosta.

Que bosta.

Que cu de boi.

Ia ser Difícil me redimir.

Eu tinha voltado quase completamente a mim agora, o que, acreditem, não era nada Fácil.

Um último fragmento da Pílula ainda foi digerido por mim, tive a impressão. Produzindo uma última, breve e poderosa onda de Retorno. Àquele Eu anterior. Que, Elevado & Confiante ao extremo, tanto me desencaminhara.

Eu me dirigi às Margens do Rio, e ali me demorei por instantes, enquanto o Sol poente se fundia à Água, doando-se generosamente & a sua Miríade de Cores, num Espraiar de Esplendor que precedeu o mais maravilhoso dos Silêncios.

Dez de dezembro

O garoto pálido de franja infeliz de Príncipe Valente e trejeitos de escoteiro foi com passos pesados até o armário do vestíbulo e se apossou do casaco branco do Pai. Em seguida se apossou das botas que tinha pintado de branco com spray. Pintar de branco a espingarda de chumbo tinha sido uma mancada. Era um presente da tia Chloe. Toda vez que ela vinha de visita ele tinha que tirar a espingarda do armário para que ela pudesse fazer um longo sermão sobre os veios da madeira.

A tarefa de hoje: caminhar até o lago, verificar o dique dos castores. Provavelmente seria impedido. Por aquela espécie que vivia atrás da velha barragem de pedra. Eram pequenos mas, ao emergir, assumiam determinadas proporções. E corriam atrás. Era essa exatamente a metodologia deles. A autoconfiança dele deixava-os aturdidos. Ele sabia disso. E se deleitava. Virava-se, apontava a espingarda de chumbo, entoava: Vocês estão cientes do uso deste utensílio humano?

Blam!

Eles eram os Habitantes do Ínfero. Ou os Ínferos. Tinham

um estranho vínculo com ele. Às vezes, por dias a fio, ele simplesmente cuidava das feridas deles. Ocasionalmente, só por brincadeira, alvejava na bunda um que estivesse fugindo. E o bicho dali em diante mancava pelo resto de seus dias. O que podia significar mais nove milhões de anos.

A salvo na barragem de pedra, o animal ferido dizia: Pessoal, olha só a minha bunda.

O grupo como um todo olhava para a bunda de Gzeemon, trocando olhares sombrios que diziam: Gzeemon haverá de claudicar pelos próximos nove milhões de anos, pobre sujeito.

Sim, porque os Ínferos tendiam a falar como aquele cara do *Mary Poppins*.

O que naturalmente suscitava certos mistérios com relação a sua origem mais remota aqui na Terra.

Impedi-lo era problemático para os Ínferos. Ele era astuto. Além do mais, ele não cabia na abertura deles na barragem de pedra. Quando eles o amarravam e iam para dentro cozinhar sua poção miniaturizadora especial — *Wham!* — ele arrebentava a corda antiquada deles com um movimento de seu autoinventado sistema de artes marciais, Toi Foi, também conhecido como Antebraços Mortais. E obstruía a porta deles com uma implacável rocha de sufocação, prendendo-os lá dentro.

Mais tarde, imaginando-os na agonia da morte, sentia pena deles e voltava para remover a pedra.

Minha nossa, um deles podia dizer lá de dentro. Obrigado, chefe. Você é deveras um adversário de valor.

Às vezes havia tortura. Eles o obrigavam a deitar de costas contemplando as nuvens em movimento enquanto o torturavam de maneiras que ele era capaz de suportar. Tendiam a deixar os dentes dele em paz. O que era uma sorte. Ele não gostava nem mesmo de fazer uma limpeza dentária. Eram uns parvos nesse aspecto. Nunca mexiam com seu pinto nem com suas unhas.

Ele se limitava a aguentar firme, enfurecendo-os com os anjos que desenhava na neve movendo braços e pernas. Às vezes, acreditando que iriam dar o golpe de misericórdia, sem saber que ele ouvia aquilo desde tempos em memoriais de certos cretinos na escola, eles diziam: Uau, nós nem sabíamos que Robin podia ser um nome de menino. E estouravam com suas risadas de Ínferos.

Hoje ele estava com o pressentimento de que os Ínferos talvez raptassem Suzanne Bledsoe, sua nova colega de grupo na escola. Ela era de Montreal. Ele simplesmente adorava seu jeito de falar. Pelo visto, os Ínferos também adoravam. Eles planejavam usá-la para multiplicar sua população depauperada e assar uma porção de coisas que eles não sabiam assar.

A postos e totalmente uniformizado agora, Nasa. Virando desajeitadamente para sair pela porta.

Positivo. Temos suas coordenadas. Tome cuidado lá, Robin.

Epa, que frio, que droga.

O termômetro de patinho marcava doze negativos. E isso sem considerar o vento gelado. Assim ficava divertido. Ficava real. Um Nissan verde estava estacionado onde a rua Poole terminava, junto ao campo de futebol. Tomara que o dono não fosse algum tarado que ele tivesse que vencer pela esperteza.

Nem um Ínfero disfarçado de humano.

Luz e mais luz, azul e frio. Ao atravessar o campo de futebol, a neve rilhava sob seus pés. Por que um frio como aquele causava dor de cabeça num sujeito que corria? Com certeza isso se devia à Sensação Térmica de uma Notável Velocidade do Vento.

A trilha bosque adentro era da largura de um corpo humano. Parecia que o Ínfero tinha de fato raptado Suzanne Bledsoe. Maldito. Ele e toda a sua laia. A julgar pela série única de pegadas, tudo indicava que o Ínfero estava carregando a garota nos braços. Bruto hediondo. Seria bom que ele não tivesse tocado

Suzanne de modo inapropriado ao carregá-la. Caso contrário, Suzanne sem dúvida teria resistido com uma fúria indomável.

Isso era preocupante, isso era muito preocupante.

Quando os alcançasse, ele diria: Olhe, Suzanne, eu sei que você não sabe meu nome, já que me chamou de Roger naquela vez que me pediu para dar o fora, mas mesmo assim devo lhe confessar que sinto que há alguma coisa entre nós. Você não sente isso também?

Suzanne tinha os mais estupendos olhos castanhos. Estavam molhados agora, de medo e súbita realidade.

Pare de falar com ela, companheiro, disse o Ínfero.

Não vou parar, disse ele. E, Suzanne, mesmo que você não sinta que há alguma coisa entre nós, fique segura de que de todo modo vou liquidar esse sujeito e levar você de volta para casa. Onde é que você mora mesmo? Lá em El Cirro? Perto da torre d'água? Há umas casas bem bonitas por lá.

Sim, disse Suzanne. Temos também uma piscina. Você precisa aparecer lá neste verão. Tudo bem se você nadar de camiseta. E também, sim, é verdade que existe algo entre nós. Você é, de longe, o garoto mais perceptivo da nossa classe. Mesmo quando levo em consideração os garotos que conheci em Montreal, digo para mim mesma, tipo: Não há quem se compare.

Bem, é ótimo ouvir isso, disse ele. Obrigado por dizer. Sei que não sou dos mais esbeltos.

Sabe uma coisa sobre as garotas?, disse Suzanne. É que somos mais atraídas pelo conteúdo.

Parem já, vocês dois, disse o Ínfero. Porque agora é hora de morrer. De vocês morrerem.

Bem, agora com certeza é hora de alguém morrer, disse Robin.

O ridículo era que na verdade a gente nunca chegava a salvar quem quer que fosse. No verão anterior tinha ali um guaxinim moribundo. Ele pensou em arrastá-lo para casa para que a Mãe pudesse chamar o veterinário. Mas de perto ele era assustador demais. Os guaxinins na realidade são maiores do que parecem nos desenhos animados. E aquele em particular dava a impressão de ser um mordedor em potencial. De modo que ele correu para casa para buscar pelo menos um pouco de água. Ao voltar, viu o local onde o guaxinim tinha tido o que parecia um estrebuchamento final. Foi triste. Ele não se dava bem com triste. É provável que tenha havido até algum pré-choro, da parte dele, no bosque.

Isso só mostra que você tem um bom coração, disse Suzanne.

Bom, não sei, disse ele, com modéstia.

Ali estava o velho pneu de caminhão. Onde os garotos do segundo grau faziam a festa. Dentro do pneu, cobertos por uma camada de neve, havia três latas de cerveja e um edredom.

Você provavelmente gosta de fazer a festa, o Ínfero tinha dito com voz esganiçada a Suzanne momentos antes, quando passavam por aquele local exato.

Não, não gosto, disse Suzanne. Eu gosto de brincar. E gosto de abraçar.

Minha nossa, disse o Ínfero. Que coisa mais aborrecida.

Em algum lugar existe um homem que gosta de brincar e abraçar, disse Suzanne.

Ele saiu do bosque agora para a vista mais bela que conhecia. O lago era pura brancura congelada. Tinha, para ele, alguma coisa de suíço. Algum dia ele iria conferir. Quando os suíços promovessem para ele um desfile ou coisa parecida.

Ali as pegadas do Ínfero se desviavam da trilha, como se ele tivesse se permitido um momento de contemplação do lago. Talvez aquele Ínfero não fosse tão mau. Talvez ele estivesse sofrendo um debilitante acesso de consciência em face da valente

Suzanne que se debatia sobre seus ombros. Pelo menos ele parecia amar um pouco a natureza.

Então as pegadas voltaram para a trilha, rodearam o lago e começaram a subir a Lexow Hill.

O que era aquele estranho objeto? Um casaco? Sobre o banco? O banco que os Ínferos usavam para seus sacrifícios humanos?

Nada de neve acumulada no casaco. Dentro do casaco ainda um pouco quente.

Logo: era o casaco recentemente despido do Ínfero.

Aquilo era algum estranho feitiço. O mais intrigante enigma que já tinha visto. E olhe que ele já tinha visto alguns bons enigmas em sua vida. Uma vez, tinha encontrado um sutiã no guidom de uma bicicleta. Uma vez, tinha encontrado um jantar intacto com bife e tudo num prato atrás da Fresno's. E não tinha comido. Embora tivesse uma aparência muito boa.

Alguma coisa estava em andamento.

Então ele avistou, já tendo percorrido metade da Lexow Hill, um homem.

Homem careca e sem casaco. Supermagro. Vestindo o que parecia ser um pijama. Escalando penosamente, com paciência de tartaruga, os braços brancos nus saindo da camisa do pijama como dois galhos brancos nus saindo de uma camisa de pijama. Ou de um túmulo.

Que tipo de pessoa deixa o casaco para trás num dia como este? Alguém que não é bom da cabeça, isso sim. Aquele sujeito parecia ser desse tipo. Como um sobrevivente de Auschwitz ou um vovô tristemente gagá.

O pai tinha dito uma vez: Confie em sua mente, Rob. Se a coisa cheira a bosta, mas tem em cima uma velinha e está escrito Feliz Aniversário, o que é?

Tem glacê em cima?, ele tinha perguntado.

O pai tinha dado então aquele olhar de soslaio que costumava dar quando a a resposta ainda não era a correta.

O que sua mente estava lhe dizendo agora?

Alguma coisa estava errada ali. Uma pessoa precisava de um casaco. Mesmo que a pessoa fosse um adulto. O lago estava congelado. O termômetro de patinho estava mostrando doze negativos. Se a pessoa era ruim da cabeça, mais razão ainda para ir em seu auxílio, afinal Jesus não tinha dito: Bem-aventurados os que ajudam aqueles que não podem se virar sozinhos por serem ruins da cabeça, senis ou inválidos?

Agarrou o casaco no banco.

Era um resgate. Um resgate real, enfim, ou uma espécie de.

Dez minutos antes, Don Erber tinha feito uma pausa junto ao lago para retomar o fôlego. Estava tão cansado. Que coisa. Quem diria. Quando saía para levar Sasquatch para passear por ali eles davam seis voltas no lago, subiam correndo o morro, alcançavam a pedra grande que ficava no topo, disparavam morro abaixo.

Melhor continuar andando, disse um dos dois sujeitos que vinham discutindo dentro da sua cabeça durante toda a manhã.

Isto é, se você ainda tem intenção de chegar à pedra grande, disse o outro.

O que ainda nos parece meio presunçoso.

Parecia que um sujeito era o Pai e o outro, Kip Flemish.

Trapaceiros estúpidos. Tinham trocado de esposas, abandonado as esposas, fugido juntos para a Califórnia. Eram gays? Ou apenas swingers? Swingers gays? O Pai e Kip dentro da sua cabeça tinham admitido seus pecados e eles três tinham chegado a um acordo: ele os perdoaria por serem possíveis swingers gays e por tê-lo deixado na Corrida de Carrinhos de Madeira, sozinho com a Mãe, e em troca eles topariam dar a ele alguns sólidos conselhos viris.

Ele quer que a coisa seja bacana.

Esse agora era o Pai. Parecia que o Pai estava um pouco do seu lado.

Bacana?, disse Kip. *Não é essa a palavra que eu usaria.*

Um cardeal zuniu cortando o dia. Era espantoso. Realmente espantoso. Ele era jovem. Estava com cinquenta e três anos. A essa altura nunca iria proferir seu grande discurso nacional sobre a compaixão. E o que dizer de descer o Mississippi numa canoa? E de morar num chalé triangular perto de um córrego à sombra com as duas garotas hippies que ele conheceu em 1968 naquela loja de suvenires nos Ozarks, quando Allen, seu padrasto, com aqueles óculos escuros malucos de aviador, comprou para ele uma sacola cheia de rochas fósseis? Uma das garotas hippies tinha dito que ele, Eber, ia ser um gatão quando crescesse, e ele podia por gentileza dar uma ligadinha pra ela nessa época? Então as garotas hippies tinham juntado as cabeças cor de mel e dado risadinhas diante da sua virtual gatosidade. E aquilo nunca tinha...

Aquilo de algum modo nunca...

A irmã Val tinha dito: Por que não fazer por onde pra ser o próximo JFK? Então ele tinha concorrido a presidente da classe na escola. Allen tinha lhe comprado um chapéu de palha patriótico. Os dois tinham sentado juntos, decorando a fita do chapéu com pincel atômico. A VITÓRIA COM EBER! Na parte de trás: JOIA! Allen tinha ajudado a gravar uma fita. Com um pequeno discurso. Allen tinha levado a fita a algum lugar e voltado com trinta cópias, "para espalhar por aí".

"Sua mensagem é boa", disse Allen. "E você fala incrivelmente bem. Você consegue."

E ele conseguiu. Ganhou a eleição. Allen fez para ele uma festa da vitória. Uma festa de pizza. Todos os garotos apareceram. Oh, Allen. O homem mais bondoso que já existiu. Levava-o à natação. Levava-o à aula de colagem. Tinha limpado seus cabelos com tanta paciência aquela vez que ele voltou para casa com piolhos. Jamais uma bronca etc. etc. Mas não foi assim quando o sofrimento confessou. Quer dizer, começou. Que droga. Cada vez mais suas palavras... Saíam erradas. Cada vez mais suas palavras não eram o que ele esperada que fossem.

Esperava.

Quando começou o sofrimento, Allen ficou furioso. Disse coisas que ninguém deveria dizer. Para a Mãe, para Eber, para o sujeito que entregava água. De homem tímido, que sempre pousava uma mão reconfortante nos ombros da gente, se converteu em figura pálida e encolhida numa cama, berrando CUNT!*

Só que com um estranho sotaque da Nova Inglaterra que fazia aquilo soar como KANT!

Na primeira vez que Allen berrou KANT!, se seguiu um momento engraçado durante o qual Eber e a Mãe olharam um para o outro para ver qual deles estava sendo chamado de KANT. Mas então Allen corrigiu, para efeito de clareza: KANTS!

Assim ficava claro que ele se referia a ambos. Que alívio.

Eles caíram na risada.

Deus do céu, quanto tempo fazia que ele estava ali parado? A luz do dia estava se esviando.

Esvaindo.

---

* *Cunt*: termo vulgar e agressivo para vagina, serve também como xingamento dirigido a alguém desprezível. (N. T.)

Eu honestamente não sabia o que fazer. Mas ele tornou tudo tão simples.

Assumiu tudo sozinho.

Qual a novidade nisso?

Pois é. Exatamente.

Isso agora eram Jodi e Tommy.

Ei, pessoal.

Grande dia hoje.

Quero dizer, claro que teria sido bacana ter uma chance de dizer adeus apropriadamente.

Mas a que custo?

Exatamente. E veja — ele sabia disso.

Ele era um pai. É isso o que um pai faz.

Alivia o fardo daqueles que ele ama.

Poupa aqueles que ele ama das dolorosas imagens derradeiras que podem persistir por uma vida inteira.

Em pouco tempo Allen tinha se tornado ISSO. E ninguém iria condenar ninguém por evitar ISSO. Às vezes ele e a Mãe corriam para se refugiar na cozinha. Melhor do que se arriscar a incorrer na ira DISSO. Até ISSO compreendia o acordo tácito. A gente trazia rapidinho um copo de água, pousava-o, dizia com muita educação: Mais alguma coisa, Allen? E via que ISSO estava pensando: Todos esses anos tratando bem vocês, e agora não passo DISSO? Às vezes o Allen gentil estava lá dentro dele também, indicando, com seus olhos: Olhem, vão embora, por favor, estou tentando com todas as forças não chamar vocês de KANT!

Um esqueleto, com as costelas saltando para fora.

Cateter preso com esparadrapo no pinto.

Lufada de cheiro de merda.

Você não é Allen e Allen não é você.

Isso era o que Molly tinha dito.

Quanto ao dr. Spivey, ele não sabia dizer. Não iria dizer.

Estava ocupado desenhando uma margarida num post-it. Por fim, disse: Bom, é para ser sincero? À medida que essas coisas evoluem, podem produzir efeitos bizarros. Mas não tem necessariamente que ser horrível. Quer um exemplo? Tinha um sujeito que sempre queria porque queria uma Sprite.

E Eber tinha pensado: Querido doutor/salvador/estrela-guia, o senhor acabou de dizer *queria porque queria uma Sprite?* Era assim que eles pegavam você. Você pensava: Talvez eu apenas queira muito uma Sprite. Quando via, você era ISSO, berrando KANT!, cagando na cama, agredindo as pessoas que se esforçavam para limpá-lo.

Não, senhor.

Não mesmo!

Quarta-feira ele tinha caído de novo da cama hospitalar. Ali no chão, no escuro, viera-lhe a ideia: Eu poderia poupá-los. *Poupar-nos? Ou poupar-se?*

Afasta-te de mim.

Afasta-te de mim, doçura.

Uma brisa trouxe uma sequência de lufadas de neve de algum lugar lá no alto. Maravilha. Por que éramos feitos desse jeito, achando belas tantas coisas que aconteciam todo dia?

Tirou o casaco.

Deus do céu.

Tirou o chapéu e as luvas, enfiou o chapéu e as luvas numa das mangas do casaco, deixou o casaco sobre o banco.

Assim eles saberiam. Encontrariam o carro, subiriam pela trilha, encontrariam o casaco.

Era um milagre. Que tivesse chegado tão longe. Bem, ele tinha sido forte a vida toda. Uma vez, chegara a correr uma meia-maratona com um pé quebrado. Depois da vasectomia ele tinha limpado a garagem sem problemas.

Tinha esperado na cama hospitalar que Molly saísse para

ir à farmácia. Essa era a parte mais dura. Evitar uma despedida normal.

Seu pensamento voltou-se para ela agora, e ele o afastou com uma oração: Deixai-me levar isso a cabo. Senhor, não me deixeis foder tudo. Não me deixeis cair na desonra. Deixai-me fazer tudo com forca e sem perna.

Com força. Fazer com força.

E sem pena.

Sem pena.

Tempo estimado para alcançar o Ínfero e estender-lhe o casaco? Aproximadamente nove minutos. Seis minutos para seguir a trilha em torno do lago, mais três minutos para subir correndo o morro como um entregador fantasma ou um anjo piedoso, portando a dádiva simples de um casaco.

Isso é apenas uma estimativa, Nasa. Tirei basicamente da minha cabeça.

Sabemos disso, Robin. A esta altura conhecemos muito bem a irreverência que caracteriza o seu trabalho.

Como naquela vez que você soltou um peido na lua.

Ou quando você tapeou Mel para que ele dissesse: "Sr. Presidente, que surpresa agradável foi descobrir um asteroide onde abunda a pita".

Aquela estimativa era particularmente incerta. Já que aquele Ínfero era surpreendentemente rápido. O próprio Robin não era o corredor mais veloz do mundo. Tinha uns pneuzinhos. Que, segundo o prognóstico do Pai, logo se firmariam numa solidez de zagueirão. Tomara. Por enquanto, só o que ele tinha era peitos um tanto adiposos.

Robin, corra, disse Suzanne. Sinto muito por aquele pobre velho.

Ele é um maluco, disse Robin, porque Suzanne era jovem, e não compreendia ainda que, quando um homem era maluco, causava sofrimentos aos outros homens, que eram menos malucos que ele.

Ele não tem muito tempo, disse Suzanne, à beira da histeria. Calma, calma, disse ele, confortando-a.

Estou tão apavorada, disse ela.

E no entanto ele tem a sorte de contar com alguém como eu para carregar seu casaco subindo esse maldito morro, que, íngreme como é, não chega a ser exatamente um refresco, disse Robin.

Acho que essa é a definição de "herói", disse Suzanne.

Suponho que sim, disse ele.

Não quero continuar sendo insolente, disse ela. Mas ele parece estar escapando.

O que você sugere?, perguntou ele.

Com o devido respeito, disse ela, e por saber que você considera que somos parceiros, mas diferentes, que tal eu cuidar da parte da inteligência, das invenções especiais e coisas do tipo?

Sim, sim, vá em frente, disse ele.

Bem, estou trabalhando a matemática da coisa em termos de simples geometria...

Ele viu aonde ela iria chegar com aquilo. E ela estava totalmente certa. Não admira que ele a amasse. Ele devia cortar caminho atravessando o lago, diminuindo dessa forma o ângulo do percurso, portanto eliminando preciosos segundos do tempo de perseguição.

Espere, disse Suzanne. Não é perigoso?

Não, disse ele. Fiz isso inúmeras vezes.

Por favor, tome cuidado, implorou Suzanne.

Bom, na verdade foi só uma vez.

Puxa, que autoconfiança, a sua, Suzanne objetou.

Na verdade nunca, ele disse baixinho, sem querer alarmá-la.

Sua valentia é irascível, disse Suzanne.

Ele se pôs a atravessar o lago.

Na verdade era muito legal caminhar sobre as águas congeladas. No verão, canoas navegavam por ali. Se a Mãe pudesse vê-lo, teria um acesso de histeria. A Mãe o tratava como um cristal. Devido às supostas cirurgias que ele sofreu quando pequeno. Bastava ele usar um grampeador para ela ficar em estado de alerta.

Mas a Mãe era boa gente. Uma conselheira confiável e uma mão segura para guiar. Tinha uma generosa profusão de cabelo prateado e uma voz rascante, embora ela não fumasse e até fosse vegana. Nunca tinha sido uma musa de motoqueiros, ainda que alguns dos cretinos da escola dissessem que ela parecia uma.

Ele na verdade gostava muito da Mãe.

Tinha atravessado agora uns três quartos, ou talvez sessenta por cento, do lago.

Entre ele e a margem havia uma área cinzenta. Ali, no verão, corria um riacho. Parecia um tantinho incerto. Na beirada da área cinzenta ele deu uma batidinha no gelo com a coronha da espingarda. Sólido como pedra.

E lá foi ele. O gelo oscilou um pouco sob seus pés. Provavelmente era raso ali. Pelo menos ele torcia para isso. Putz.

Como estão as coisas?, perguntou Suzanne, apreensiva.

Podiam estar melhores, disse ele.

Talvez você devesse voltar, disse Suzanne.

Mas aquela sensação de medo não era exatamente a sensação que todos os heróis tinham que enfrentar bem cedo na vida? Não era justamente a superação dessa sensação de medo o que distinguia de fato os corajosos?

Não poderia mais haver volta.

Ou poderia? Talvez pudesse. Na verdade, deveria haver. O gelo cedeu e o garoto afundou.

A náusea não tinha sido mencionada em A estepe da humildade. *Um sentimento de bem-aventurança me dominou enquanto eu resvalava para o sono no fundo da fenda na geleira. Nenhum temor, nenhum desconforto, apenas uma vaga tristeza ao pensar em tudo que não tinha sido feito. É isso a morte?, pensei. É o nada, e só.*

Autor, cujo nome não lembro agora, eu gostaria de ter uma palavrinha com você.

Babaca.

Os calafrios eram insanos. Como um tremor. A cabeça chacoalhava sobre o pescoço. Fez uma pausa para vomitar um pouco na neve, amarelo-esbranquiçado sobre azul esbranquiçado.

Aquilo era apavorante. Era apavorante agora.

Cada passo era uma vitória. Tinha que se lembrar disso. A cada passo ele escapava pai mais longe. Longe do pai drástico. Do padrasto. Que vitória ele estava arrancando. Das garras da de-rótula.

Sentia no fundo da garganta uma necessidade de falar direito.

Das garras da derrota. Das garras da derrota.

Oh, Allen.

Mesmo quando você virou ISSO, continuou sendo Allen para mim.

É bom que saiba disso.

Caindo, disse o Pai.

Por algum tempo ele esperou para ver onde iria aterrissar e

quanto aquilo iria doer. Em seguida havia uma árvore nas suas tripas. Ele se viu abraçado em posição fetal a alguma árvore. Porra.

Ai, ui. Aquilo era demais. Ele não tinha chorado depois das cirurgias nem durante a químio, mas teve vontade de chorar agora. Não era justo. Acontecia supostamente com qualquer um, mas agora estava acontecendo especificamente com ele. Tinha esperado alguma isenção especial. Mas não. Algo/ alguém maior do que ele seguia recusando. Diziam para você que o grande algo/alguém o amava de modo especial, mas no final você via que não era nada disso. O grande algo/alguém era neutro. Desinteressado. Quando se movia, inocentemente, esmagava gente.

Anos atrás, em *O corpo iluminado*, ele e Molly tinham visto um pedaço de cérebro. Maculando o pedaço de cérebro havia uma mancha marrom do tamanho de uma moeda de cinco centavos. Essa mancha marrom tinha bastado para matar o sujeito. O sujeito devia ter tido seus sonhos e esperanças, seu guarda-roupa cheio de calças, e assim por diante, algumas lembranças preciosas da infância: uma profusão de carpas à sombra do salgueiro no Gage Park, digamos, ou a Vó fuçando sua bolsa com cheiro de chiclete Wrigley's em busca de um lenço de papel — coisas do tipo. Se não fosse pela mancha marrom, o sujeito talvez pudesse ser uma daquelas pessoas passando a caminho do almoço na praça de alimentação. Mas não. Era um defunto agora, apodrecendo em algum lugar, sem cérebro na cabeça.

Examinando o pedaço de cérebro Eber tinha experimentado uma sensação de superioridade. Pobre sujeito. Era um grande azar o que tinha acontecido com ele.

Ele e Molly tinham se dirigido rapidamente à praça de alimentação, comido bolinhos de aveia, observado um esquilo brincar com um copo de plástico.

Abraçado à árvore em posição fetal, Eber tateou a cicatriz em sua cabeça. Tentou sentar. Sem chance. Tentou usar a árvore como apoio para sentar. Sua mão não tinha firmeza. Circundando a árvore com as duas mãos, juntando um pulso no outro, conseguiu se erguer, apoiado na árvore.

Como estavam as coisas?

Bem.

Muito bem, na verdade.

Quem sabe era isso. Quem sabe era até ali que ele conseguia chegar. Planejara sentar-se de pernas cruzadas apoiado na pedra grande no alto do morro, mas no fundo que diferença fazia? Tudo o que ele precisava fazer agora era aguentar firme.

Aguentar firme forçando-se a pensar os mesmos pensamentos que usara para saltar da cama hospitalar, entrar no carro, atravessar o campo de futebol e se embrenhar no bosque: MollyTommyJodi se refugiando na cozinha cheios de pena/repugnância, MollyTommyJodi se encolhendo diante de alguma coisa cruel que ele tinha dito, Tommy erguendo seu tronco magro nos braços para que MollyJodi pudessem lavar ali debaixo...

Então tudo estaria consumado. Ele teria evitado toda humilhação futura. Todos os seus temores quanto aos meses vindouros seriam abolidos.

Embolados.

Era isso então. Era mesmo? Ainda não. Mas não demoraria. Uma hora? Quarenta minutos? Ele estava mesmo fazendo aquilo? De verdade? Estava. Estava? Seria capaz de voltar para o carro caso mudasse de ideia? Achou que não. Ali estava ele. Estava ali. Aquela oportunidade incrível de encerrar as coisas com dignidade estava toda em suas mãos.

Tudo o que ele precisava fazer era aguentar firme.

Não vou mais lutar. Para sempre.

Concentre-se na beleza do lago, na beleza do bosque, na

beleza para a qual você está retornando, na beleza que está por toda parte até onde alcança a sua...

Oh, puta merda.

Oh, era para gritar a plena voz.

Um garoto estava no lago.

Garoto gordinho vestido de branco. Com uma espingarda. Carregando o casaco de Eber.

Seu bostinha, largue esse casaco, volte para casa, vá cuidar da sua...

Merda. Que merda.

O garoto testou o gelo com a coronha da espingarda.

Você não vai querer ser encontrado por um garoto qualquer. Isso é uma coisa que pode assustar um garoto. Ainda que os garotos encontrem coisas esquisitas o tempo todo. Uma vez ele próprio tinha achado uma foto do Pai e da sra. Flemish nus. Aquilo tinha sido bem esquisito. Claro, não tão esquisito quanto um homem de pernas cruzadas fazendo careta...

O garoto estava nadando.

Nadar não era permitido. Havia avisos bem claros. PROIBIDO NADAR.

O garoto era um mau nadador. Um festival de pernas e braços se debatendo descoordenados. O garoto estava criando desse jeito um poço negro em rápida expansão. A cada vez que se debatia, o garoto expandia os limites da área negra...

Ele estava descendo o morro antes de perceber que tinha se movido. *Garoto no lago, garoto no lago* — eram as palavras que atravessavam repetidamente sua cabeça enquanto ele cambaleava morro abaixo. O avanço era árvore a árvore. Parado ali, ofegando, você acabava conhecendo bem uma árvore. Esta aqui tinha três nós no tronco: olho, olho, nariz. Essa começou como uma árvore e se transformou em duas.

De repente ele já não era meramente o sujeito agonizante

que passava noites em claro na cama hospitalar pensando Que isto não seja verdade, que isto não seja verdade, mas de novo, em parte, o sujeito que costumava colocar bananas no freezer, depois quebrá-las na bancada da pia e despejar chocolate sobre os pedaços, o sujeito que uma vez ficou diante de uma janela de sala de aula durante um temporal para ver como Jodi estava se virando com aquele merdinha ruivo que não lhe dava espaço na mesa de leitura, o sujeito que costumava pintar à mão casinhas de passarinhos quando estava na faculdade e vendê-las nos fins de semana em Boulder, vestindo uma roupa de bobo da corte e fazendo um pequeno número de malabarismo que ele...

Começou a cair de novo, se segurou, se imobilizou numa postura encurvada, se precipitou para diante, caiu de cara no chão, bateu o queixo numa raiz.

Tinha que rir.

Quase não dava para deixar de rir.

Pôs-se de pé. Obstinadamente pôs-se de pé. Sua mão direita tinha o que parecia ser uma luva de sangue. Uma parada duríssima. Uma vez, no futebol, tinha perdido um dente. Mais tarde durante a partida, Eddie Blandik o encontrara. Ele o tirara da mão de Eddie e o jogara longe. Aquele sujeito também tinha sido ele.

Ali estava a filha em zigue-zague. Não estava longe agora. A trilha em zigue-zague.

O que fazer? Quando chegasse lá? Tirar o garoto do lago. Fazer o garoto andar. Forçar o garoto a atravessar o bosque, atravessar o campo de futebol, até uma das casas em Poole. Se não houvesse ninguém em casa, enfiar o garoto no Nissan, ligar o aquecimento, rodar até... Nossa Senhora das Dores? Pronto-Socorro? Qual o caminho mais rápido até o Pronto-Socorro?

Uns cinquenta metros até o início da trilha.

Vinte metros até o início da trilha.

Obrigado, Senhor, pela minha força.

No lago ele era puro instinto animal, sem palavras, sem identidade, pânico cego. Resolveu tentar de verdade. Agarrou a borda de gelo. O gelo quebrou. Ele afundou. Bateu o pé no lodo do fundo e subiu. Agarrou a borda de gelo. O gelo quebrou. Ele afundou. Parecia que aquilo ia ser fácil, sair dali. Mas ele simplesmente não conseguia. Era como no parque de diversões. Parecia fácil derrubar três cachorros de pelúcia da prateleira. E era fácil mesmo. Só não era fácil com a quantidade de bolas que eles davam para a gente atirar.

Ansiava pela margem. Sabia que era o lugar certo para ele. Mas o lago continuava dizendo não.

E então ele disse talvez.

A borda de gelo cedeu de novo, mas, ao quebrá-la, ele avançou infinitesimalmente em direção à margem, de modo que, quando afundou, seus pés alcançaram em menos tempo o lodo do fundo. A ribanceira era inclinada. De repente havia esperança. Ele foi à loucura. Ficou totalmente frenético. Em seguida estava fora, com água escorrendo pelo corpo, um pedaço de gelo semelhante a um caco de vidro no punho do casaco.

Trapezoide, ele pensou.

Na sua cabeça, o lago não era finito, circular e localizado atrás dele, mas sim infinito, circundando tudo.

Sentiu que o melhor a fazer era deitar e ficar quieto, caso contrário aquilo — o que quer que fosse — que tentara matá-lo iria tentar de novo. Aquilo que tentara matá-lo não estava apenas no lago, mas ali fora também, em cada coisa da natureza, e não existia nem ele, nem Suzanne, nem a Mãe, só o som de algum garoto chorando como um bebê aterrorizado.

* * *

Eber andou-capengou para fora do bosque e encontrou: garoto algum. Só água negra. E um casaco verde. Seu casaco. Seu antigo casaco, estendido ali sobre o gelo. As águas já estavam se acalmando.

Oh, merda.

Culpa sua.

O garoto só estava ali por causa do...

Na praia mais adiante, perto de um barco emborcado, havia um infeliz. Deitado de bruços. À espreita. Deitado de bruços e à espreita. Devia ter ficado deitado ali até mesmo enquanto o pobre garoto...

Espere um pouco. Volte.

Era o garoto. Oh, graças a Deus. Com a cara no chão como um cadáver numa foto de Matthew Brady. As pernas ainda no lago. Como se ele tivesse empacado enquanto se arrastava para fora. O garoto estava todo ensopado, o casaco branco cinza de tão molhado.

Eber arrastou o garoto para fora do lago. Foram necessários quatro puxões distintos. Não tinha força suficiente para virá-lo de barriga para cima, mas, girando a cabeça, pelo menos ele afastou da neve a boca do garoto.

O garoto estava encrencado.

Ensopado até os ossos, doze abaixo de zero.

Maldição.

Eber se abaixou, apoiado sobre um joelho, e disse ao garoto, num tom grave e paternal, que ele precisava se levantar e se mexer, caso contrário podia perder as pernas, podia até morrer.

O garoto olhou para Eber, piscou, continuou onde estava.

Ele agarrou o garoto pelo casaco, rolou-o para que ficasse de barriga para cima, deu um jeito de fazê-lo se sentar. Os calafrios do garoto faziam os seus próprios calafrios parecerem irrisórios. Dava a impressão de que ele estava segurando uma britadeira. Tinha que aquecer o garoto. Como? Abraçá-lo, deitar em cima dele? Seria como deitar um picolé sobre outro.

Eber se lembrou de seu casaco, estendido sobre o gelo, na beira da água negra.

Blergh.

Encontrar um galho. Nenhum galho à vista. Onde diabos a gente encontra um galho caído quando mais precisa...

Tudo bem, tudo bem, ele faria a coisa sem galho mesmo.

Caminhou uns quinze metros pela margem, pisou sobre a parte congelada do lago, deu uma larga volta andando sobre a superfície sólida, virou-se para a margem, começou a caminhar em direção à água negra. Seus joelhos tremiam. Por quê? Porque estava com medo de afundar. Haha. Tolo. Posudo. O casaco estava a menos de cinco metros. Suas pernas estavam rebeldes. Suas pernas estavam amotinadas.

Doutor, minhas pernas não me obedecem.

Não diga.

Aproximou-se um pouquinho. O casaco estava a três metros agora. Ajoelhou-se, avançou lentamente de joelhos. Deitou de barriga para baixo. Esticou um braço.

Deslizou para diante arrastando a barriga no gelo.

Um pouquinho mais.

Um pouquinho mais.

Então pinçou uma ponta do pano com dois dedos. Puxou o casaco para si, deslizou de volta por meio de uma espécie de nado de peito reverso, se pôs de joelhos, ficou em pé, recuou alguns passos e logo estava de novo a salvo, a cinco metros do perigo.

Então foi como nos velhos tempos, pondo Tommy ou Jodi na cama quando eles já estavam quase dormindo. Ele dizia "Braço", o garoto erguia um braço. Dizia "Outro braço", o garoto erguia o outro braço. Tendo tirado o casaco molhado, Eber pôde ver que a camisa do garoto estava virando gelo. Eber arrancou a camisa. Pobre rapazinho. Uma pessoa era apenas carne sobre um esqueleto. O rapazinho não duraria muito naquele frio. Eber tirou a parte de cima do próprio pijama, vestiu-a no garoto, enfiou o braço do garoto na manga do casaco. Na manga estavam o chapéu e as luvas de Eber. Pôs o chapéu e as luvas no garoto, fechou o casaco até em cima.

A calça do menino estava congelada. Suas botas eram esculturas de gelo em forma de botas.

Era preciso fazer as coisas direito. Eber sentou no barco, tirou suas botas e meias, despiu a calça do pijama, fez o garoto sentar no barco, se ajoelhou diante dele, tirou suas botas congeladas. Amoleceu a calça com pequenos golpes e logo uma das pernas tinha saído parcialmente. Estava despindo um garoto a uma temperatura de doze negativos. Talvez fosse exatamente a coisa errada. Talvez ele matasse o garoto. Não sabia. Simplesmente não sabia. Em desespero, deu mais alguns golpes na calça. O garoto estava livre.

Eber vestiu nele a calça do pijama, depois as meias e por fim as botas.

Lá estava o garoto, vestido com as roupas de Eber, oscilando, de olhos fechados.

Vamos andar agora, ok?, disse Eber.

Nada.

Eber deu um sacolejo de incentivo nos ombros do garoto. Como no futebol.

Vamos levar você até em casa, disse ele. Você mora perto daqui?

Nada.

Deu um sacolejo mais firme.

O garoto olhou para ele de boca aberta, perplexo.

Sacolejo.

Garoto começou a andar.

Sacolejo, sacolejo.

Meio que fugindo.

Eber conduzia o garoto à sua frente. Como vaqueiro e vaca.

De início, o medo dos sacolejos parecia estar motivando o garoto, mas então o bom e velho pânico tomou conta e ele começou a correr. Em pouco tempo Eber já não conseguia alcançá-lo. O garoto estava na altura do banco. O garoto estava no começo da trilha.

Bom rapaz, vá para casa.

O garoto desapareceu bosque adentro.

Eber caiu em si.

Oh, meu Deus. Minha nossa.

Até então não sabia o que era frio. Não sabia o que era cansaço.

Estava em pé na neve, só de cueca, perto do barco virado.

Foi capengando até o barco e sentou, debaixo de neve.

Robin correu.

Passou pelo banco, pelo início da trilha e se pôs bosque adentro pelo velho caminho familiar.

Que diabo? Que diabo tinha acabado de acontecer? Ele tinha caído no lago? Sua calça tinha congelado? Tinha deixado de ser jeans azul. Agora era jeans branco. Olhou para baixo para ver se seu jeans ainda era jeans branco.

Estava com uma calça de pijama que, enfiada numas botas enormes, parecia calça de palhaço.

Ele tinha chorado agora mesmo?

Acho que chorar é saudável, disse Suzanne. Mostra que você está em contato com seus sentimentos.

Argh. Isso estava acabado, essa coisa estúpida de conversar mentalmente com uma garota que na vida real chamava você de Roger.

Droga.

Tão cansado.

Ali estava um toco.

Sentou. Era gostoso descansar. Não ia mais perder as pernas. Elas nem sequer estavam doendo. Não dava nem para senti-las. Ele não ia morrer. Morrer não era algo que ele tivesse em mente em tão tenra idade. Para descansar de modo mais eficaz, ele se deitou. O céu estava azul. Os pinheiros balançavam. Não todos no mesmo ritmo. Ele ergueu uma das mãos enluvadas e viu que ela tremia.

Podia, quem sabe, fechar um pouco os olhos. Às vezes na vida a gente sentia vontade de entregar os pontos. Então todo mundo ia ver. Todo mundo ia ver que provocação não era legal. Às vezes, com toda aquela provocação, seus dias eram quase insustentáveis. Às vezes ele sentia que não podia aguentar mais nenhum daqueles horários de almoço sentado como um cordeirinho naquele tapete de ginástica enrolado no canto da lanchonete perto das barras paralelas quebradas. Ele não tinha que sentar lá. Mas preferia assim. Caso sentasse em qualquer outro lugar, arriscava ouvir um ou dois comentários. Sobre os quais ele ia passar o resto do dia refletindo. Às vezes comentavam a balbúrdia que era a sua casa. Graças a Bryce, que tinha ido lá uma vez. Às vezes comentavam o seu jeito de falar. Às vezes comentavam o estilo destrambelhado da Mãe. Que era, verdade seja dita, uma autêntica garota anos 8o.

A Mãe.

Ele não gostava quando o provocavam por conta da Mãe. A

Mãe não tinha a menor ideia do baixo prestígio dele na escola. A Mãe o via mais como o protótipo do menino de ouro. Uma vez, ele tinha gravado em segredo os telefonemas da Mãe, só para verificação. Em sua maior parte, eram conversas aborrecidas, prosaicas, que absolutamente não se referiam a ele. Com exceção daquela com sua amiga Liz. Nunca sonhei que pudesse amar tanto alguém, a Mãe tinha dito. Minha preocupação é de não ser capaz de corresponder às expectativas dele, sabe? Ele é tão *bom*, tão *grato*. Esse menino merece... esse menino merece tudo. A melhor escola, que é algo que a gente não pode bancar, algumas viagens, tipo para o exterior, mas isso está, ahn, fora do nosso alcance financeiro. Eu simplesmente não quero *falhar* com ele, entende? É só isso o que eu quero da minha vida, entende? Liz? Sentir, no fim das contas, que fiz tudo certo com aquele carinha fabuloso.

Naquele momento, ao que parecia, Liz tinha ligado o aspirador de pó.

Carinha fabuloso.

Provavelmente ele devia seguir em frente.

Carinha Fabuloso era tipo seu nome indígena.

Ficou de pé e, recolhendo sua volumosa porção de roupas como se fosse uma espécie de incômodo aparato real, partiu para casa.

Ali estava o pneu de caminhão, ali o lugar onde a trilha se alargava num pequeno trecho, ali o lugar onde as árvores se tocavam no alto como se estendessem os braços umas para as outras. Teto trançado, como a Mãe chamava.

Ali estava o campo de futebol. Do outro lado do campo, sua casa se erguia como um grande e dócil animal. Era espantoso. Tinha feito aquilo. Tinha afundado no lago e sobrevivido para contar a história. Tinha chorado um pouquinho, sim, mas depois simplesmente deu risada daquele momento de fraqueza mortal e foi para casa, com uma expressão de pasmo irônico no rosto, tendo se beneficiado, há que reconhecer, da preciosa ajuda de um certo homem de idade...

Com um choque ele se lembrou do velho. Que diabo? Viu num flash a imagem do velho ali parado de pé, despojado e de pele azulada, só de cueca, feito um prisioneiro de guerra abandonado perto da cerca de arame farpado por falta de lugar no caminhão. Ou uma cegonha triste e traumatizada dizendo adeus aos filhotes.

Tinha desertado. Tinha desertado e deixado o velho na mão.

Não tinha pensado um minuto nele.

Que merda.

Que atitude de cagão.

Tinha que voltar. Agora mesmo. Ajudar o velho a sair do bosque. Mas estava tão cansado. Não tinha certeza de que ia ser capaz. Provavelmente o velho estava bem. Provavelmente tinha algum tipo de plano de gente velha.

Mas ele tinha desertado. Não poderia conviver com aquilo. Sua mente lhe dizia que o único meio de desfazer a deserção era voltar agora, salvar a situação. Seu corpo dizia outra coisa: É longe demais, você é só um menino, chame a Mãe, ela saberá o que fazer.

Ficou paralisado na beirada do campo de futebol como um espantalho com imensas roupas tremulantes.

Eber se recostou molemente contra o barco virado.

Que mudança brusca de clima. As pessoas circulavam de sombrinhas e coisas do tipo na parte aberta do parque. Havia um carrossel, uma banda, um belvedere. Tinha gente fritando comida sobre alguns cavalinhos do carrossel. No entanto, crianças andavam em outros cavalinhos. Como sabiam quais cavalos estavam quentes e quais não estavam? Por enquanto ainda havia neve, mas ela não podia durar muito tempo naquela azáfama.

Bálsamo.

Se você fechar os olhos, será o fim. Sabe disso, não sabe?

Hilário.

Allen.

A voz exata dele. Depois de todos aqueles anos. Onde ele estava? O laguinho dos patos. Tantas vezes tinha ido ali com as crianças. Agora devia ir embora. Adeus, laguinho dos patos. No entanto, aguente. Parecia impossível levantar. Além do mais, você não podia deixar um par de crianças para trás. Não tão perto da água. Tinham quatro e seis anos de idade. Pelo amor de Deus. O que ele estava pensando? Deixar aquelas duas criaturinhas queridas na beira do lago. Eram bons meninos, esperariam, mas será que não ficariam entediados? Será que não iriam querer nadar? Sem coletes salva-vidas? Não, não, não. Isso lhe dava náuseas. Tinha que ficar. Pobres crianças. Pobres crianças abandonadas...

Espere, volte.

Seus filhos eram excelentes nadadores.

Seus filhos nunca chegaram nem perto de ser abandonados.

Seus filhos eram crescidos.

Tom tinha trinta anos. Um rapagão. Tentava com afinco saber coisas. Mas, mesmo quando achava que sabia uma coisa (guerra de pipas com cerol, criação de coelhos), Tom logo se mostrava como era: o rapaz mais querido, mais agradável que havia, que a respeito de guerra de pipas e criação de coelhos não sabia mais do que a média das pessoas podia pescar em dez minutos na Internet. Não que Tom não fosse esperto. Tom era danado de rápido para aprender. Oh, Tom, Tommy, Tommikins! Que coração tinha aquele garoto! Só fazia trabalhar, trabalhar. Pelo amor do pai. Oh, filho, você venceu, você vence, Tom,

Tommy, agora mesmo estou pensando em você, você não sai da minha cabeça.

E Jodi, Jodi estava lá em Santa Fé. Tinha dito que largaria o trabalho e voaria para casa. Como era necessário. Mas não havia necessidade alguma. Ele não gostava de se impor. Os filhos tinham suas próprias vidas. Jodi-Jode. Rostinho sardento. Grávida agora. Não estava casada. Não estava nem namorando. O idiota do Lars. Que tipo de homem abandonava uma garota linda como aquela? Um amor de menina. Apenas começando a fazer algum progresso no emprego. Alguém que estava só começando não podia tirar aqueles dias de folga...

Reconstituir os filhos dessa maneira tinha o efeito de torná-los reais para ele de novo. O que... você não ia querer deixar aquela perereca cair. Jodi ia ter um filho. Peteca. Ele podia ter durado o bastante para ver o bebê. Pegar o bebê no colo. Era triste, sim. Era um sacrifício que ele tivera que fazer. Tinha explicado isso no bilhete. Não tinha? Não. Não deixara bilhete algum. Não conseguiu. Por alguma razão não conseguiu. Não havia razão? Tinha certeza de que tinha havido alguma...

O seguro de vida. Não podia parecer que ele tinha feito de propósito.

Princípio de pânico.

Princípio de pânico ali.

Estava se matando. Se matando, tinha envolvido um garoto. Que estava vagando hipotérmico pelo bosque. Se matando duas semanas antes do Natal. O feriado favorito de Molly. Molly tinha um problema de válvula, um problema de pânico, o negócio podia...

Aquilo não era assim... aquilo não era ele. Não era uma coisa que ele teria feito. Uma coisa que ele alguma vez faria. Só que... ele tinha feito. Estava fazendo. Estava em andamento. Se ele não se mexesse, aquilo estaria... estaria consumado. Estaria feito.

Hoje mesmo estarás comigo no reino dos...

Tinha que lutar.

Mas não parecia capaz de manter os olhos abertos.

Tentou enviar alguns últimos pensamentos a Molly. Meu bem, me perdoe. A maior cagada de todos os tempos. Esqueça esta parte. Esqueça que eu terminei deste jeito. Você me conhece. Sabe que eu não tive essa intenção.

Ele estava em casa. Ele não estava em casa. Sabia disso. Mas era capaz de ver cada detalhe. Ali estava a cama hospitalar vazia, a foto de estúdio em que EleMollyTommyJodi posavam diante daquela falsa cerca de rodeio. Ali estava a mesinha de cabeceira. Seus remédios na caixinha de comprimidos. A campainha que ele tocava para chamar Molly. Que coisa. Que coisa cruel. De repente ele via claramente como aquilo era cruel. E egoísta. Oh, Deus. Quem era ele? A porta da frente se abriu. Molly chamou seu nome. Ele ia se esconder no jardim de inverno. Saltar, dar um susto nela. De algum modo, tinham feito uma reforma. O jardim de inverno deles era agora o jardim de inverno da sra. Kendall, a professora de piano da sua infância. Seria divertido para as crianças, ter aulas de piano no mesmo cômodo que ele...

Olá?, disse a sra. Kendall.

O que ela queria dizer era: Não morra ainda. Há muitos de nós que desejam julgá-lo com severidade no jardim de inverno.

Olá, olá!, gritou ela.

Dando a volta no lago vinha uma mulher de cabelos grisalhos.

Tudo o que ele precisava fazer era chamá-la.

Chamou.

Para mantê-lo vivo ela começou a empilhar sobre ele várias coisas da vida, coisas que tinham cheiro de lar — casacos, suéteres, uma chuva de flores, um chapéu, meias, tênis — e com força espantosa o pôs de pé e começou a conduzi-lo para dentro de um labirinto de árvores, um país das maravilhas de árvores, árvores com gelo pendurado. Ele caminhava sob uma pilha alta de roupas. Era como a cama sobre a qual os convidados de uma festa largavam seus casacos. Ela possuía todas as respostas: onde pisar, quando descansar. Era forte como um touro. Ele agora estava no colo dela, como uma criança; ela tinha os dois braços em volta da cintura dele, erguendo-o por cima de uma raiz.

Caminharam durante horas, ou assim parecia. Ela cantava. Adulava-o. Sussurrou para lembrar a ele, com cutucões na testa (cutucões bem no meio da testa dele), que o danado do *filho* dela estava em *casa*, quase *congelado*, de modo que eles tinham que *se apressar*.

Deus do céu, havia tanta coisa a fazer. Se ele resistisse. Resistiria. Aquela moça não permitiria outra coisa. Ele teria que tentar fazer Molly entender... entender por que ele tinha feito aquilo. *Eu estava apavorado, eu estava apavorado, Mol.* Talvez Molly concordasse em não contar a Tommy e Jodi. Ele não gostava da ideia de eles saberem que ele estava apavorado. Ah, que se dane! Conte para todo mundo! Ele tinha feito e pronto! Tinha sido levado a fazer e tinha feito e isso era tudo. Ele era assim. Aquilo era uma parte do que ele era. Basta de mentiras, basta de silêncio, dali pra frente seria uma vida nova e diferente, desde que...

Estavam atravessando o campo de futebol.

Ali estava o Nissan.

Seu primeiro pensamento foi: Entre, dirija até em casa.

Oh, não, você não, ela disse com aquela risada fumacenta e o conduziu para dentro de uma casa. Uma casa no parque. Ele a vira um milhão de vezes. E agora estava dentro dela. Tinha cheiro de suor de homem, molho de espaguete e livros velhos.

234

Como uma biblioteca aonde homens suados fossem para cozinhar espaguete. Ela o fez sentar diante de uma estufa à lenha, trouxe-lhe um cobertor marrom com cheiro de remédio. Só falava por meio de comandos: Beba isto, deixe-me pegar aquilo, agasalhe-se bem, como se chama, qual é o seu telefone? Que coisa! Passar de moribundo de cueca na neve para isto! Quentura, cores, galhadas de caça nas paredes, um telefone de manivela dos velhos tempos, como os que a gente via nos filmes mudos. Aquilo era demais. Cada segundo era demais. Ele não tinha morrido de cueca na beira de um lago na neve. O garoto não tinha morrido. Ele não tinha matado ninguém. Haha! De algum modo ele tinha tudo de volta. Tudo estava bom agora, tudo estava...

A mulher estendeu a mão, tocou sua cicatriz.

Oh, uau, ui, disse ela. Não foi lá fora que você fez isso, foi?

Nesse momento ele lembrou que a mancha marrom continuava intacta na sua cabeça.

Oh, Deus, ainda tinha que passar por tudo aquilo.

Será que ele ainda queria? Ainda queria viver?

Sim, sim, oh, Deus, sim, por favor.

Porque, ok, o negócio era o seguinte (estava percebendo agora, estava começando a perceber): se um sujeito, no final, desmoronava, e dizia ou fazia coisas ruins, ou tinha que ser ajudado, ajudado de modo substancial... e daí? Qual o problema? Por que ele não deveria fazer ou dizer coisas esquisitas, ou parecer estranho ou repulsivo? Por que a merda não deveria escorrer pelas suas pernas? Por que aqueles que ele amava não deveriam erguê-lo, dobrá-lo, alimentá-lo e limpá-lo, sabendo que ele faria alegremente o mesmo por eles? Tinha tido medo de ser diminuído por toda essa coisa de erguer, dobrar, alimentar e limpar, e continuava com medo, mas ao mesmo tempo via agora que ainda podia haver muitos... muitos pingos de benevolência, foi assim que ele pensou... muitos pingos de feliz... de companheirismo... pela frente, e esses pingos de companheirismo não eram — nunca tinham sido — algo que ele pudesse sonetar.

Sonegar.

O garoto saiu da cozinha, perdido dentro do grande casaco de Eber, as pernas da calça do pijama se empoçando sobre seus pés agora descalços. Tomou com suavidade a mão ensanguentada de Eber. Disse que sentia muito. Sentia muito por ter sido tão idiota lá no bosque. Sentia muito por ter saído correndo. Tinha simplesmente caído fora. Meio que apavorado e tal.

Ouça, disse Eber, com voz rouca. Você foi o máximo. Foi perfeito. Eu estou aqui. Graças a quem?

Está vendo? Aquilo era uma coisa que você podia fazer. O garoto talvez se sentisse melhor agora? Não era ele que tinha proporcionado aquilo ao menino? Aquela era uma razão. Para ficar. Não era? Dava para consolar alguém se não estivesse ali? Dava para fazer alguma merda que fosse se tivesse ido embora?

Quando Allen estava próximo do fim, Eber tinha feito uma apresentação na escola sobre o peixe-boi. Ganhou um A da irmã Eustace. Que podia ser bem durona. Ela tinha perdido dois dedos da mão direita num acidente com um cortador de grama e às vezes usava aquela mão para fazer uma criança fechar a boca de susto.

Tinha passado anos sem pensar naquilo.

Ela tinha pousado a mão no ombro dele não para assustá-lo, mas como uma forma de louvor. *Isso foi fantástico. Todos deviam levar as tarefas tão a sério como o Donald aqui. Donald, espero que você vá para casa e compartilhe isso com seus pais.* Ele foi para casa e compartilhou com a Mãe. Que sugeriu que ele compartilhasse com Allen. Que, naquele dia, estava mais para Allen do que para isso. E Allen...

Haha, uau, Allen. Aquele sim era um homem.

Lágrimas subiram aos seus olhos enquanto ele estava ali diante da estufa.

Allen tinha... Allen tinha dito que aquilo era formidável. Tinha feito algumas perguntas. Sobre o peixe-boi. O que é que eles comiam mesmo? O que ele achava, eles conseguiam se comunicar de verdade entre si? Que tremendo esforço devia ter sido! Nas condições em que ele estava. Quarenta minutos falando do peixe-boi? Incluindo um poema que Eber tinha composto? Um soneto? Sobre o peixe-boi?

Tinha ficado tão feliz em ter Allen de volta.

Serei como ele, pensou. Tentarei ser como ele.

A voz dentro da sua cabeça estava trêmula, oca, hesitante.

Então: sirenes.

De algum modo: Molly.

Ouviu-a na porta de entrada. Mol, Molly, oh, meu Deus. Logo que se casaram, eles costumavam brigar. Dizer as coisas mais absurdas. Depois, às vezes, vinham as lágrimas. Lágrimas na cama? E então eles... Molly apertando seu rosto quente e molhado contra o rosto quente e molhado dele. Eles se desculpavam, diziam isso com seus corpos, aceitavam um ao outro de volta, e esse sentimento, esse sentimento de ser aceito de novo e de novo, esse sentimento de que a afeição de alguém por você crescia a ponto de abranger qualquer novo defeito que tivesse acabado de se revelar na sua pessoa, aquilo era a coisa mais profunda e preciosa que ele jamais...

Ela entrou agitada e se desculpando, com uma sombra de raiva no rosto. Ele a tinha constrangido. Ele percebeu isso. Ele a tinha constrangido ao fazer algo que mostrava que ela não tinha notado o quanto ele precisava dela. Ela tinha estado ocupada demais servindo de enfermeira dele para notar o quanto ele estava apavorado. Estava com raiva dele porque ele tinha aprontado e com vergonha de si mesma por sentir raiva dele naquela hora em que ele estava tão necessitado, e estava tentando deixar de lado a vergonha e a raiva para poder fazer o que talvez fosse necessário.

Tudo isso estava no rosto dela. Ele a conhecia tão bem. Preocupação também.

Vencendo tudo o mais naquele rosto adorável, a preocupação.

Ela veio até ele agora, tropeçando de leve num desnível no chão daquela casa de pessoas estranhas.

Agradecimentos

Eu gostaria de agradecer à Fundação MacArthur, à Fundação Guggenheim, à Academia Americana de Artes e Letras e à Universidade de Syracuse pelo generoso apoio durante a escrita deste livro.

E gostaria também de agradecer a:

Esther Newberg, por sua incansável orientação e amizade nos últimos dezesseis anos, durante os quais ela me proporcionou a grande dádiva de sentir que tudo o que eu tinha a fazer era escrever o melhor que pudesse, pois ela cuidaria do resto, o que ela fez com discernimento e energia incríveis.

Deborah Treisman, pela edição magistral do meu trabalho para a *The New Yorker*, pelo modo generoso e amável com que desempenha seu papel, e pelo efeito enriquecedor que sua opinião sempre tem sobre o meu trabalho.

Andy Ward, por sua amizade, sábios conselhos e confiança em mim, e pela influência auspiciosa de seu ponto de vista constantemente positivo — em Dubai, Nepal, África, México, Fresno, e quando trabalhamos juntos neste livro.

Caitlin e Alena: observar vocês durante todos estes anos me ensinou que a bondade é não apenas possível; é nosso estado natural.

Paula: tudo de valioso que fiz nos últimos vinte e cinco anos foi inspirado, apoiado altruisticamente e incentivado amorosamente por sua bondade, seus conselhos e sua confiança infinita. Obrigado um milhão de vezes. Em algum lugar de minha juventude ou infância, devo ter feito alguma coisa danada de boa.